なぜつくる？ どうつくられてきたか

海の建築

畔柳 昭雄

水曜社

はじめに

海と建築との関係について語ろうとすると、建築界の巨人と称されたル・コルビュジェがコンクリート船「Asile Flottant号」の改修を手掛けていたことや地中海のカップマルタンに小さな別荘を構えて海水浴を楽しんでいたことが思い出される。また、あまり知られていないようだが、アメリカで建築マイスターと称されていたルイス・カーンも、欧米各国の街に音楽を届けたコンサートホール船「Point Counterpoint Ⅰ・Ⅱ世号」の設計を行っていた。カーンが、サンディエゴ郊外の太平洋に面した街ラホヤにあるソーク研究所を設計したことは良く知られており、特にこの建物に囲まれた中庭の中央部に設けられた細長い水路は、その先に広がる太平洋上に春分と秋分のとき、太陽が沈み込む日没点と一致するように設けられていることは広く知れ渡っている。建築構造家のピエール・ルイジ・ネルヴィもフェロセメントで自らのヨットを含め何隻か製作しているが、それを知る人は案外少ない。その一方で、レンゾ・ピアノがヨットの設計や大型クルーズ客船の設計を手掛けていることは広く知られている。わが国とも馴染みの深いフランク・ロイド・ライトは、ウイスコンシン州の湖でボートに乗ったまま家に入ることができるボートハウスを設計しているし、バートランド・ゴールドバーグは、シカゴでテレビや映画に頻繁に登場したボートハーバーを備えた高層住宅をいくつも設計するなど、近代建築の巨匠らは陸の建築だけを行っていた訳ではなく、船の設計や船に関係した建築設計にも携わり、コルビュジェを以て大型客船を「新しい建築の形態」と言わしめるなど、建築家は船や海や水辺が無性に好きなようだ。

日本でも戦前に建築学科出身の技師や建築家らがコンクリート船の建造を行ってい

たり、大型客船に影響を受けて山田守《やまだまもる》は病院を設計したり、村野藤吾《むらのとうご》らは客船の内装を手掛けていた。また、丹下健三《たんげけんぞう》や菊竹清訓《きくたけきよのり》、大高正人《おおたかまさと》らをはじめとして、海の上に都市の未来を描いていた建築家は多く、彼らはその言説からして海への関心が高かった。また後年、磯崎新《いそざきあらた》も中国の珠海市で人工島による「海市構想」を発表しているし、槇文彦《まきふみひこ》はフランスの運河を航行するナローボートを演劇舞台に改装している。90年代前後になると、日本では海への関心が一段と高まりを見せ、多様な建築が海の上につくり出された。洋の東西を問わず、ここに記した建築家の名を出さずとも海と建築と船の3者の間には案外と深い関係がありそうな予感がする。

　こうした状況を認識しながら海と建築の関係を云々するとなると、日本には幸か不幸か、海の上に神社の祀られていることが思い出されてくる。それが厳島（嚴島）神社である。しかし、海の上に建築が存在するか否か、それ以外の見方をしたとしても、実のところ建築は海との関係性が非常に深い。日本は海を隔てた南方からの文化が海によって運び込まれてきており、沖縄や奄美諸島をはじめとして沿岸各地で、文化移入の痕跡を地域に同化したモノやコトを通して知ることができ、海の存在無くして語ることはできない。すなわち、日本の建築の存在は海によってつくり出されてきたと言っても決して過言ではない。少し詳しく見てみると、建築についてはその技術や材料およびその使い方の面で海や海に関連した風土的事項が多々見られるし、舟と建築の関係性を取り上げるならば、木工技術は船大工と（家）大工の間に脈々とした関係性を見ることができ、木造船と木造建築における木工技術には共通性や類似性を随所に見ることができる。翻って、現代建築を見てみると、近年は積極的に造船技術を取り入れることで、これまでの建築には見られなかった新たな空間やディテールに鋼材を使って創造する試みがされてきていることがわかる。また、町家《まちや》の配列は原初的には舟の陸上がりに由来していることを石川県の漁村調査から論考したのが民俗学の宮本常一《みやもとつねいち》であった。宮本によって町家に見る〝ウナギの寝床〟の由来が明らかにされたことになる。

加えて、丹下健三は厳島神社で用いられた軸線の考え方を建築的手法として昇華させることで、広島平和記念公園の計画やその後の建築作品および都市計画などに用いていた。こうした海に関係して成立してきた要因を捉えていくことで、海と建築の関係性に迫ってみたい。

ここでは、海とかかわる建築について特に注目しているが、それは海辺や海際に立つ舟小屋のような陸と海の間に立つ建築を対象としたものではなく、これらも含みつつも、むしろ高床や筏《いかだ》などを用いることによりまさに海（面）の上に立っている建築に焦点を当てることにしている。さらに、海と建築の関係性を捉えることについては、海に立つという場所性だけを論じるのではなく、建築（空間）が存在することについて「海」は一見何の関係性もないように見えるが、実は建築の中には遺伝子のように海は記憶され生きており、一見個々バラバラに見えた海とのかかわりの断片を一つひとつの文脈として紡ぐことで新たな事実を発掘しようと考える。

海の上に建築を建てるということは、陸の上に建築を建てることとは違って、固定から移動へ、不動から可動へと「動き」が期待できるため、陸で不可能なことが海では可能になってくる。たとえば、家船《えぶね》は船が家であるため「動き」はもともと必然的に備わっている。この「動き」のあることに注目し、夢や思いを描いた者たちは建築家に限ったことではない。

本書では、海と建築との関係について、先人たちのこれまでの視点を踏まえつつも若干変則気味に、海の上に立つ建築に焦点を当てながら、海とかかわる事象を系譜的に整理していき、いつ頃、「何のために」海の上に「つくられてきたのか」、その出現の理由について歴史的、技術的、思想的な経緯について振り返っている。それによって、建築は陸地の上に立つものだという固定観念を打破したい。

目次

第4章　なぜ海に建てられるのか

第5章　海と陸との関係性を示すもの

第1章

海と建築と船の関係性

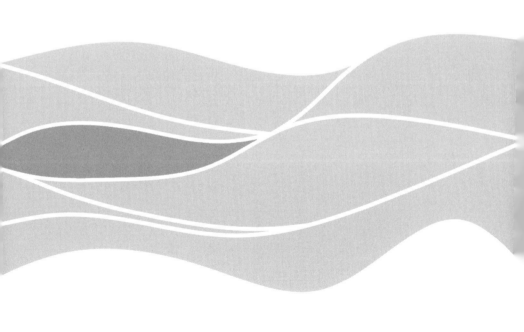

1·1

海流が運んだ建築文化

海流と文化伝来

島国の日本は四面環海で、日本列島の太平洋側と日本海側にはそれぞれ暖流と寒流の2つの海流が流れ込んでいる。太平洋側には赤道方面から暖流の黒潮（日本海流）が流れ、北極海方面からは寒流の親潮（千島海流）が流れ込んでおり、日本海側には黒潮が分岐した対馬海流と寒流のリマン海流がそれぞれ流れ込んでいる。こうした海流は日本列島近海に豊富な水産資源を回遊させてくれる。そのため、太平洋側の暖流域には「かつお」「まぐろ」の漁場を、寒流域には「さんま」「たら」の漁場をそれぞれ生み出し、日本海側の暖流域には「ぶり」の漁場を、寒流域には「にしん」の漁場をそれぞれ生み出している。こうした水産資源の採捕を生活の糧として立地してきたのが全国津々浦々に見る漁村であり、その数は現在6298か所を数える。

一方、日本列島に流れ来る海流は、昔から豊かな水産資源の恩恵をもたらすだけではなく、さまざまなモノを運び寄せ、漂着させたり、コトを伝播伝来する役割を果たしてきた。そして、ときとして「遠き島より流れ寄る椰子の実ひとつ……」のように詩として読まれるような漂着物をもたらすこともあった。こうした海流の流れに身をまかせることで簡素な筏や小舟で大海原を渡り、生まれ育った土地（自国）の文化を漂着した先の陸地（他国）に伝播伝来することが遥か悠久の昔から行われてきていた。その文化伝来を自ら実証した人たちがいた。その中の1人ノルウェーの人類学者トール・ヘイエルダールは、1947年に南米ペルーとポリネシアの石像の類似性や植物の呼び方が似ていることなどから、ポリネシア人の起源は南米にあると主張し、バルサや松、麻などでつくりあげた〝コンティキ号〟と名づけられた筏に乗り南米のペルーを出港し、太平洋上に位置するチリ領のイースター島を目指して航海をはじめたが、出港してまもなくツアモツ諸島ラロイア環礁で座礁してしまい、仮説の実証までには至らずに航海は断念せざるを得なかった。しかし、この壮大な試みは後に世界中で高く評価されることになった。彼はその後1969年には古代エジプトとペルーの交流を実証すべく大西洋横断を試みたがまたもや失敗した。それでも諦めることはなく、翌年に再度挑戦を試みることで見事に航海をなし遂げて実証を果たした。わが国では1977（昭和52）年に角川春樹らがフィリピンから鹿児島までを〝野生号〟と名づけた古代のアウトリガー付きカヌーを復元することで、黒潮によって古代文化が日本に伝播された可能性を説く実証航海を行った。その後別のグループが台湾から与那国島への実験航海を2016（平成28）年に草束船《くさたばふね》で行い、2017年と18年には竹筏で行い、2019年には丸木舟で行っている。こうした実証航海を試みずとも、文化の伝播伝来の痕跡はさまざまな形で確認することができる。文化伝来については民俗学者の柳田國男《やなぎたくにお》や宮本常一の先駆的なフィールドワークをはじめとして、民俗学、文化人類学、建築学、海洋学、考古学など多くの分野で、生活様式、因習、儀式、建築様式などについて同様な伝播伝来に関する調査研究が展開されてきている。

海が運んだ建築文化

日本列島に至る黒潮の流れは「海上の道」や「黒潮ハイウェイ」とも呼ばれるが、南方系文化を日本文化の中に伝播伝来する役割を担っていた。伝播伝来したモノの中には舟や住居も含まれており、日本列島に流れ込む黒潮に沿うようにしてそれらの形

1‐1　沖縄の高倉　八丈島や奄美大島群島、沖縄諸島などの島嶼部においてはインドネシアなどで発展した南方系の高床を備えた倉の建築形態が伝播

（次ページ）
1‐2　マニアバ　キリバスの集落にみる集会施設　周辺の建物と比べて巨大な屋根が設けられていることがわかる。近年は屋根を使って雨水を集めるようになっている

1‐3　マニアバ内部　内部は床座になっている

態や構法、配置の面で南方系の特長を帯びた痕跡を見つけることができる。たとえば、宮本常一によれば、住居の形態として南方系の分棟づくり・別棟づくり・くどづくり（くどとは釜土の意味）と呼ばれるつくりがあるが、このつくりは母屋と炊事棟（釜屋）の2つの建物を並べていることで二棟づくりとも呼ばれる。特徴は2つの屋根の軒が接する部分に雨樋を通し雨水を集めるつくりとなっているところにある。そのため、漏斗《じょうご》づくりとも呼ばれている。東南アジアでは比較的多く見ることができる形態である。このつくりは南西諸島から鹿児島、大隅、薩摩に伝来した。佐賀県の有明海に面した川副《かわそえ》町にはこのつくりが一軒残されており、現在、国指定の重要文化財に指定されている。[1] また、大洋州の島嶼《とうしょ》国に見る高倉づくりの類は、南西諸島や伊豆諸島の八丈島において見ることができる。南西諸島に見る高倉の分布はトカラ列島、奄美諸島、沖縄諸島、八重山諸島から台湾、フィリピンに至る島嶼に沿って広範囲な地理的分布を見せ、黒潮の流れに沿ってこうした文化が遡上《そじょう》伝来してきたことがわかる（1‐1）。高床式の住居については、これまで多くの埴輪が出土しているが、この形式の住居がアジアに多いこととあわせて考えるならば、古くからアジアとの交流が盛んであったことを思い起こさせる。加えて、伊勢神宮の建築様式を見てみると、こちらは南方系の穀物倉庫の系統に入る。[2]

　大洋州の島嶼国の中のキリバス共和国に見る住居の配置は母屋を中心に炊事場と他の居室がそれぞれ分棟配置されているが、便所はなく近くの海岸で用を足すようになっている。この分棟型の配置形式は鹿児島や奄美諸島、沖縄諸島の民家の一部において見ることができる。キリバスにはほかに「マニアバ」（1‐2・1‐3）と呼ばれる

寄棟屋根と柱だけで構成された集会施設が集落には必ず設置される原則がある。キリバスには何事も合議に基づき決定する伝統的習慣があり長老会議や住民集会、宴会などがここで行われる。この建物は建てる際に海岸線に沿って並行に配置されるという習わしと建物の内部に入るためには海岸側から入るしきたりがあり、内部の梁には注連縄《しめなわ》に似た吊るしが下げられている。これによって空間的領域がつくり出され、集会では着席位置や座り方も決まっており、着席位置には民話に基づく海の生物の名がつけられている。[3] 1つ建築的特徴を付け加えておくならば、建物は簡素であるが、飛び梁《ばり》構造（フライング・バットレス）を用いており、これはパリのノートルダム寺院と同じ構造である。

話を戻すと、住宅の屋敷の入口に目隠しとなる壁を建てる文化が沖縄にはあり「ヒンプン」と呼ばれている。この壁は沖縄県下の離島でも見ることができるが、特に渡名喜島《となきじま》はその種類が圧倒的に多い（1-4）。ちなみにこの島では「ヒンプン」は「ソーンジャッキ」と呼ぶ。「ヒンプン」は中国の「屏風門」に由来しているとされ、中国ではほかに「影壁」あるいは「屏風」とも呼ばれ、インドネシアでは「アリンアリン」と呼ばれている。韓国では見かけることは少ないが、「ピョンプング」と呼ばれる壁がある。ベトナムの田舎の住居においても沖縄と同様のヒンプンに似たものがあるという。沖縄の「ヒンプン」とインドネシアの「アリンアリン」はともに悪霊を防ぐ魔除《まよ》けとしての役割（意味）が伝承されてきているが、この壁はどこで発祥したのか、各々独自に発生したものなのか、伝播伝来したものなのか今もって不明である。いずれにせよ、都市化により悪霊が減ったためなのか、沖縄でもインドネシアでもその数はめっきり減っている。[4] こうした住居の形態や配置、それにまつわる風習や伝承などは、黒潮の流れる赤道付近の遥か遠くの島嶼国からもたらされてきたものと推測される。

一方、この黒潮の流れに逆らうように日本から大海原を超えて出かけて行った人々もいる。沖縄本島南西部にある糸満《いとまん》市の漁師たちである。彼らは1871（明治4）年の廃藩置県の頃から昭和期にかけて小型漁船に乗り込み、国内は宮城県金華山、新潟県佐渡島、長崎県対馬、平戸、五島列島に出かけ、海外は北朝鮮から東はマダガスカル、西は南アメリカからキューバ、南はインドシナからマレーシア、インドネシアの各地にまで出かけていき、現地に積極的に溶け込むことで糸満漁師の集団的追い込み漁「アギャー」や糸満の漁法を地元漁師に伝授していった。

1-4　ヒンプン　沖縄諸島ではインドネシアなどで見られる敷地入口に建てられた目隠し、悪魔除けとして設けられた

1·2 陸に上がった船

船上生活者と家船

かつて漁船や運搬船は、本来の漁やモノを運ぶための使い方以外に生活の場として使う習慣が見られた。そこでは職住近接を超えた職住一体の暮らしが船の中で営まれていた。こうした暮らし方をする人々は「船上生活者」や「水上生活者」と呼ばれ、今日でも世界中に存在し、一見、途上国の暮らし方として多いようにも思われがちだが、意外にも先進国とされる国々で多く見ることができる。それは陸に家が持てずに

船上生活の道を選ばざるを得なかったわけではない。むしろ積極的にこうした生活を選び、水の上の自由を好んで満喫した生活を行っている場合が多く、水上での生活は水との一体感があり、船が風や波で揺れることが自然に近づける証だとしてむしろ楽しんでいる感がある。イギリス・ロンドン・リーゼント運河、オランダ・アムステルダムの運河やフランス・パリのセーヌ川、アメリカ・ニューヨーク・ハドソン川などでは、彼らの船上生活する姿を見ることができる。特にヨーロッパでは運河専用のナローボート（狭い舟）（1-5）と呼ばれる船があり、船以外の水上居住専用のハウスボートやフローティングホーム（1-6・1-7）で生活する人々もおり、アメリカではシアトルの湖やポートランド、サンフランシスコの湾域をはじめ18州に水上コミュニティが存在する。[5]

わが国でも船で暮らす人々の姿を見ることができ、「家船《えぶね》」と呼ばれた。近世から近代にかけて長崎五島列島、平戸、対馬から瀬戸内海沿岸一帯の津々浦々で船上生活が営まれていた。彼らは移動しながら漁を営み物々交換により生計を立てていた。明治時代以降の漁業法の改正などにより家船の漁業権が消滅したり、それまでの漁法が変化したり、学校教育が義務化するなど、家船生活者（漁師）を取り巻く環境が厳しさを増すことで、その数を減らしていった。[6] 代わって登場してきたのが港湾労働に従事した水上生活者による「家船」、すなわち住まいとしての船であった。東京における水上生活者は1930（昭和5）年から35年にかけては1万7000人から1万8000人ほどいた。これらの船は主に艀と呼ばれる運搬船で、東京や横浜の港湾に入港した大型貨物船から移された荷を積み込み運搬していた。また、この船内は

1-5　ナローボート　イギリスの運河で発展した細長い石炭運搬船を改造した運河巡り用の家船

1-6　ハウスボート　アメリカのサンフランシスコ・サウサリートでは1970年頃から出現し、現在は18州に水上コミュニティがある

1-7　フローティングホーム　ハウスボートの別称。水上に浮かぶ家は自然を身近に感じられるとして人気があり、裁判官や高級官僚など緊張の強いられる職務に就く人々の居住が多い

船長とその家族の生活の場を兼ねており、船長は船橋《せんきょう》で操船に従事し、妻は艫《とも》で洗濯するなど職住一体となった生活が営まれていた。この艀は日清戦争後、1899（明治32）年には366隻ほどであったものが、日露戦争後、1909（明治42）年1056隻へとわずか10年で3倍にも急増し、この頃から船に通う生活形態から次第に船に住む生活形態へと変貌することで船上生活者が生み出された。

しかし、こうした生活風景も道路整備による陸上のトラック輸送の普及と増加を受けて減少するとともに、1964年開催の東京オリンピックに合わせて全ての船上生活者を陸に上げるための政策的な取り組みとして「港湾労働者及びその家族の船内居住の禁止」が港湾労働法に制定されることにより、水上生活はその姿を消していった。[7]

一方、瀬戸内海では家船と呼ばれる生活の場としての住居を兼ねた漁船を津々浦々の漁港で普通に見ることができたが、現在では広島県豊島《とよしま》の漁港を拠点とするわずかな家船を見ることしかできないほどに減少してしまった。豊島の家船は夫婦で漁船に乗り込み、この船に家と見紛うほどまでに生活道具一切を積み込むことで、瀬戸内海から長崎や五島列島方面に至る季節ごとに移動する漁場を追いかけて出漁し、夫婦ともに水揚げ作業に従事していた。これを「旅漁」と呼んだ。そのため、豊島には留守中の子ども達をあずかる学生寮があり、小学生から高校生までがここで集団生活を行っていた。

船住居のはじまり

豊島以外でも漁船を家とする人々はいた。ただし、こちらの場合は船としての機能

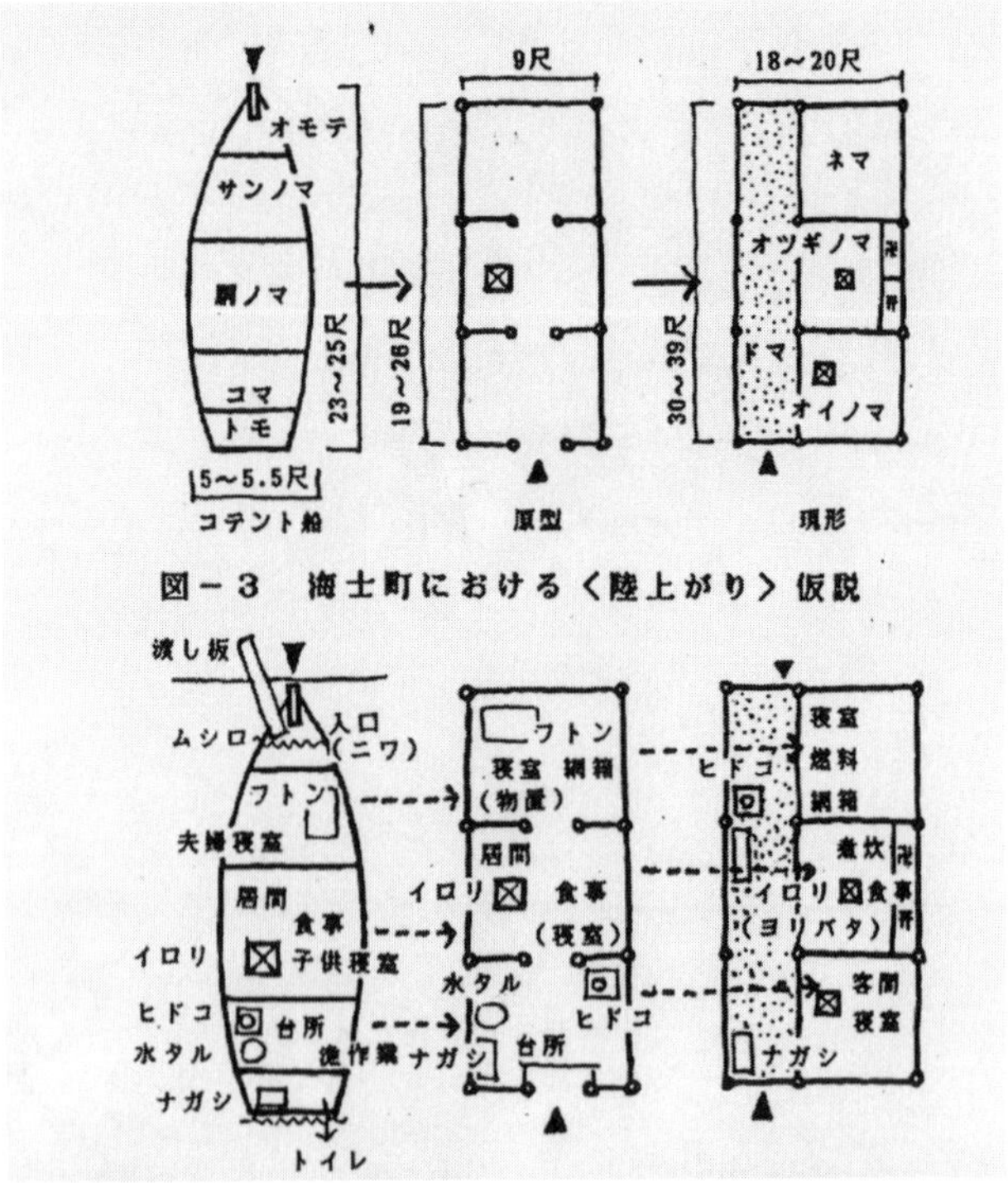

1-8　コテント船の陸上がり
地井昭夫は1960年頃に石川県能登の七ツ島で家船（コテント船の陸上がり）を採取した（出典：地井昭夫「〈海封〉された〈舟ずまい〉型集落：〈舟ずまい〉の〈陸上がり〉に関する仮説的考察－その3」日本建築学会大会学術講演梗概集（九州）、1989.10）

（次ページ）
1-9　トンレサップ湖の乾期　カンボジアのトンレサップ湖は東南アジア最大の湖で川クメール語で川（tonle）と湖（sap）の意味がある。乾期と雨期では湖の面積が異なる
1-10　トンレサップ湖の雨期　雨期には乾期の3倍に湖の面積は膨れ上がり氾濫湖とも呼ばれる

を使いながら家としても使うのではなく、船のもつ空間を住むための場すなわち住居としてだけ使うものである。昭和初期の宮本常一の調査によれば、西日本側の漁村では使っている船が古くなり本来の機能としての海上での航行ができなくなると、その船を海浜やその背後地に引き上げて、船をそのまま住居として利用する習わしがあった。この習わしによって漁村における住居や集落の原初的な形態が形づくられてきたと宮本は説く。この調査により農村部と漁村部では異なった住居の空間構成がつくられてきていることが明かされた。すなわち、農村部の住居では間取りは田の字型で引戸が取り入れられているが、漁村部では並列型の間取りに蔀戸《しとみど》が取り入れられていることを見出し、こうしたことが船住居のなごりであると指摘していた。

　この漁村における並列型の間取りとはいったいどんなものなのかというと、住居の中に通庭的な土間が通され、それに沿って各部屋が並列に並べられた形式のことを指している。これは木造の和

船を漁船とした場合、舳先側から梁によって空間区分がなされており、表の間、胴の間、櫓《ろ》の間に分けられる。この空間区分の構成がそのままに漁村にある住居の部屋配列が構成されているとするもので、当初、陸揚げされた船をそのまま住居として使っていたとき、艫《とも》から入り、船の中央部にあたる胴の間あたりが広い空間となるため、ここが団らんの場として使われ、表の間が一番奥の空間となり、寝床として使われていた。[8] こうした使い方が習慣化して発展してゆくことで、船住居として定着し、それがそのまま陸上の住居へと変容することで、〝ウナギの寝床〟と呼ばれる各居室を通り抜ける型の間取りやその発展型としての町家の原型と見られる並列型の間取りができあがったとされる。

こうした宮本常一の考え方を石川県能登の調査を通して地井昭夫《ちいあきお》（金沢大学）も同様な捉え方を提起している。地井は地元のコテント船と呼ばれる行商用家船が舳先からサンノマ（寝室）、胴の間（居間）、コマ（炊事場）という三間取りとなっていることと、それが陸上がりして住居となっているものを能登半島沖の日本海にある七ツ島で発見し、同様の配列の間取りとなっていることを捉えた（1-8）。地井らはその後に山口県、長崎県、天草半島などでも船型住居の発展型としての通庭をもった並列型の三間間取りを発見している。[9] 著者もこうした先駆的な家船の陸上がりに対する考え方を踏まえながら、香港やカンボジアなど東南アジアの国々の水辺を対象として、長らく水上生活を営む人々とその住居を観察調査してきたが、宮本らの指摘するような家船の陸上がりと同様な状況に出合った。カンボジアには世界最大の氾濫湖または伸縮する湖と呼ばれるトンレサップ湖があるが、ここは雨期になると湖面が乾期の3倍以

1-11　トンレサップ湖の水上集落　湖の上に乾期になると水上集落がつくられ、ここを拠点として漁業生産活動が営まれる

上に拡大し、沿岸部は全て湖底に沈んでしまう。そのため、集落を形成する住居は全て高床式の杭上住居で、乾期と雨期では全く異なる様相を見せる（1－9・1－10）。湖での漁業の最盛期は湖面が縮小する乾期に訪れ、湖面のあちこちに杭式住居や家船による水上集落が3か月から半年の間だけ姿を現す（1－11）。この水上集落をつくり出す家船の中には、ベトナム系の漁業者が家族とともに生活しながら漁業を営んでいる姿がある。彼らはベトナム戦争時代に戦乱を逃れてこの湖に来たが、陸域の集落に住むカンボジア住民が彼らの陸上がりを受け入れなかったため、陸域に住居をもつことができず、以来、家船での生活が続いてきている。そのため、乾期には漁をしながら湖面で生活し、雨期になると湖にそそぐ河川を遡上して陸域にある集落付近の河畔に船を停泊させてそこで生活を営んでいる漁業者が多い（1－12）。こうした家船は木造船であるため、古くなり劣化して水漏れがはじまると漁業操業には使うことができなくなる。そうなると河岸に陸揚げしたり河畔に恒常的に係留されるようになったり、浅瀬に杭を打ち、そこに使ってきた家船を載せて住居としてだけ使うようになり、操業のための漁船へ乗り換えが行われるようになる（1－13）。このため、家船での生活は当初は職住一体型で営まれていたものが、船の老朽化に合わせて次第に職住分離型へと変わり、生活形態も常に家族一緒であった生活から、父と母子に分化した生活形態へと変化を余儀なくされている。

　家船の居住形態は、当初、水面に浮かぶ住居であったものが、杭式の棚の上に家船を載せたり（1－14）、あるいは杭式住居へと変貌する様を見せ、そのことにより、移動型から固定型へと生活様式も大きく変化し、その器も船から建築へと変様している。

1-12 トンレサップ湖の家船の遡上　雨期は河川を遡上して河畔に停泊して生活する

1-13 トンレサップ湖の住むための家船　船体が劣化した家船を陸に上げて住むためだけに使い、漁は別の船で行うことで職住分離がはじまる

1-14 トンレサップ湖の杭式棚に載る家船　古くなった家船を杭式の棚の上に載せ住居としてだけ使うことで、次第に杭式の高床住居へと変化する

　では、こうした家船や船住居から漁村の住居の原初的な形態が生み出されてきたのであれば、当然同じように集落の形態も船住居から生み出されてきたものと考えられるが、そこにはどんな関係性があるのだろうか？　漁村集落は狭隘《きょうあい》な可住地に各住戸が肩寄せ合ってせめぎ合うように立ち並び、その住戸間には所どころに、人一人がようやく通れる程度の幅の瀬古道が縫うように通っている。こうした風景は一般的な漁村集落として、全国津々浦々において見ることができる。船住居は舟の形態によって自ずと並列型の部屋配置を取ることになるため、隣同士が隣接していても住居の出入りに際して困ることはなく、前方か後方に道があれば生活する上での支障は生じない。そのため、住居を密集して配することが可能になり狭い可住地に高密度な漁村集落を形成することができた。また、漁村集落はおおむね海側に対して妻入り側を向けることが多くなっているが、これも船住居を海から引き揚げて置いた状態をそのままにして継承されることで生み出された住居配列である。付け加えるならば、木造漁船はそのまま野ざらしにすると甲板に雨水がたまり腐るため、苫葺《とまふ》き屋根が載せられていたが、それがそのまま船住居の屋根形態になったものと捉えることもできる。さらに、京都府伊根に見る海岸に沿った舟小屋の場合、各舟小屋は間口幅がおおむね揃っているが一部には広い間口も見かけることがある。これがこの地域で船団を組んでいた頃の上下関係を表していると見る向きもある。この集落の漁師は大型定置網や巻き網、はえなわ漁を行ってきていたが、それらの漁船団では漁労長が漁を全て取り仕切るため、漁労長の住む家が大きくなっている（1-15・1-16）。

　形態的なものだけではなく、言語の中にも船住まいの陸上がりを象徴する事項はあり、たとえば、フィリピンにおいて集落を表すバランガイという名称はもともと船を表す名称であるし、マレー語では数々の船の部分の名称と家の部分の名称が同一である。わが国では沖縄では「もやう」といった言葉がよくつかわれるが、これも船からきた言葉である。[11]

（前ページ）
1-15 舟小屋　若狭湾の京都府伊根町には230軒の舟小屋が軒を連ねており、「重要伝統的建造物群」に指定され保存されている。ここの舟小屋は他の舟小屋と異なり、海の上に建てられており、屋内に海面が入り込んでいる

1-16 舟小屋　かつて木造船が主流の頃は全国の海浜で舟を保管するための舟小屋を見かけたが、現在は日本海側の青森県から長崎県の限られた漁村で見ることができるまでに減少した

1·3 船から建築へ

牡蠣船の登場

近世の城下町大坂を流れる堀川の水辺は、明治・大正・昭和初期に至るまで都市住民の憩いの場であり、水辺は情緒や風物詩を生み出す場として親しまれてきていた。その原動力を担ってきたのがほかならぬ水面に浮かぶ「牡蠣船」（1-17・1-18）であった。

この牡蠣船は単なる水産物としての牡蠣の運搬を担っていただけではなく、そこから発展することで牡蠣の販売や料理の提供を主な役割としながら、何度かその様相や形態の変化を遂げることで最終的には船から浮かぶ建築へと大きく変貌を遂げた。その過程を見てゆくと前身となる船は江戸時代初期に安芸（現在の広島県）の草津村から登場し、その後、時代の流れに沿い機能用途や形態的な変化を遂げることで、屋形船形態としての牡蠣船の原型を生み出した。その後は次第に船としての移動手段の櫓《ろ》や櫂《かい》を捨てるようになり、形も平屋や2階建てのまさに建築的形態を見せるまでに変

化を遂げ、最終的には浮かぶ「水上店舗」と呼ばれるまでに大きく変貌し、船から脱皮してほぼ建築そのものの様相を帯びた姿を見せるまでに変身を遂げた。

牡蠣船は、１６１９（元和５）年に紀州和歌山の藩主浅野長晟《あさのながあきら》が安芸藩主として転封《てんぽう》した際、和歌山の牡蠣種を移入することで、安芸の牡蠣の改良と養殖法の改良（ひび立て養殖法）が進められて増産に成功した。このことが地元広島以外にも新たな販路を拡大せざるを得ない状況を生み出し、１６６０（万治３）年頃から草津村の牡蠣師５名が船で広島近傍の港を巡りながら牡蠣の販売を行うようになった。これが牡蠣船（牡蠣運搬船）の起こりとなった。次いで、１６７３（延宝元）年には牡蠣を海上運搬することで近畿地方の販路が開拓され、大坂の堀川において牡蠣の実演販売が行われた。この頃は広島から大坂まで3日ほどの海上帆走が要されたため、牡蠣は殻つきのまま潮水に浸した俵に詰めて運搬され問屋に卸されていたが、牡蠣船業者も自らの船上で牡蠣打ちを実演し剝《む》き身で販売するようになった。これが大坂商人に受け入れられ、堀川には１６８７（貞享４）年に草津村の牡蠣船16隻が集まるようになった。この頃の営業形態は、牡蠣の収穫季節の10月下旬に広島から牡蠣俵を船に積み込み、大坂に到着した後に船上で営業が行われ、翌年2月頃に広島に帰港するというもので、この季節移動は大正時代初期まで毎年繰り返されていた。大坂に運び込まれた牡蠣は鮮度保持のため俵ごと海中に沈められ、販売のときに引き上げられる方法が取られていたが、後に牡蠣俵は広島から定期的に追送されるようになった。その後、牡蠣船では剝き身販売のほかに調理した牡蠣料理が振る舞われるようになり、専用の座敷を備えた屋形形態の船が建造されるようになった。これが牡蠣船（屋形船形態）の原型と

（前ページ）

1-17　牡蠣船（広島）　広島で誕生し、牡蠣船は当初の荷船から販売や調理を行う船へと形態的変化を遂げた

1-18　牡蠣船（大阪）　この牡蠣船は1920（大正9）年に土佐堀川に架かる淀屋橋のたもとに係留されて以来今日に至る（浮函基礎は修復されて使われてきている）

なり形態的変化のはじまりとなった。

１７０８（宝永5）年以降、広島の牡蠣船はその数を増やしながら大坂以外の場所にも進出するようになり、１８０５（文化2）年には瀬戸内海沿岸の各地の港や河川にも牡蠣船を送り込むようになった。１８２１（文政4）年頃の牡蠣船は、大坂堀川に毎年35隻出向いたが、１８５０（嘉永3）年頃からは淀川水系を遡ることで、京都、伏見、近江、大和路まで販路を拡張していった。これ以降、大坂以外でも活発に牡蠣船営業が展開されるようになるが、牡蠣船はもっぱら料理の提供が主となり座敷をもつ屋形船形態の牡蠣船が主流となっていった。１８８１（明治14）年頃には大阪堀川に35隻、瀬戸内海各地の港に42隻の牡蠣船が出向いた。１９０９年には草津村の牡蠣船は大阪堀川に16隻、京都鴨川に1隻と数を減少させたが、１９１６（大正5）年になると京都鴨川の牡蠣船は4隻に増え、九州別府港にも1隻が赴いた。その後、各地に向けて牡蠣船はその数を増やしていった。

１９２０（大正9）年以降は第1次世界大戦後の国内経済の活況を受けることで大阪堀川には１５０隻を数えるまでに牡蠣船が増えた（1-19）。この頃から牡蠣の輸送手段は汽船やトラックなどの輸送手段に取って代わり効率化が計られるようになり、牡蠣の出荷形態も殻つきから剥き身に変わって各船に届けられるようになる。牡蠣船自らは広島に帰港することなく河川内の係留場所に停留するようになり、季節ごとの営業時に屋形が組み立てられる経営方法が取られることで、船もそれに合わせて形態的な変化を遂げた。そして、牡蠣以外の鰻や川魚も次第に扱われるようになり、季節的な営業方法から通年営業に切り替える船も増えることで、営業方法の差異が船の形

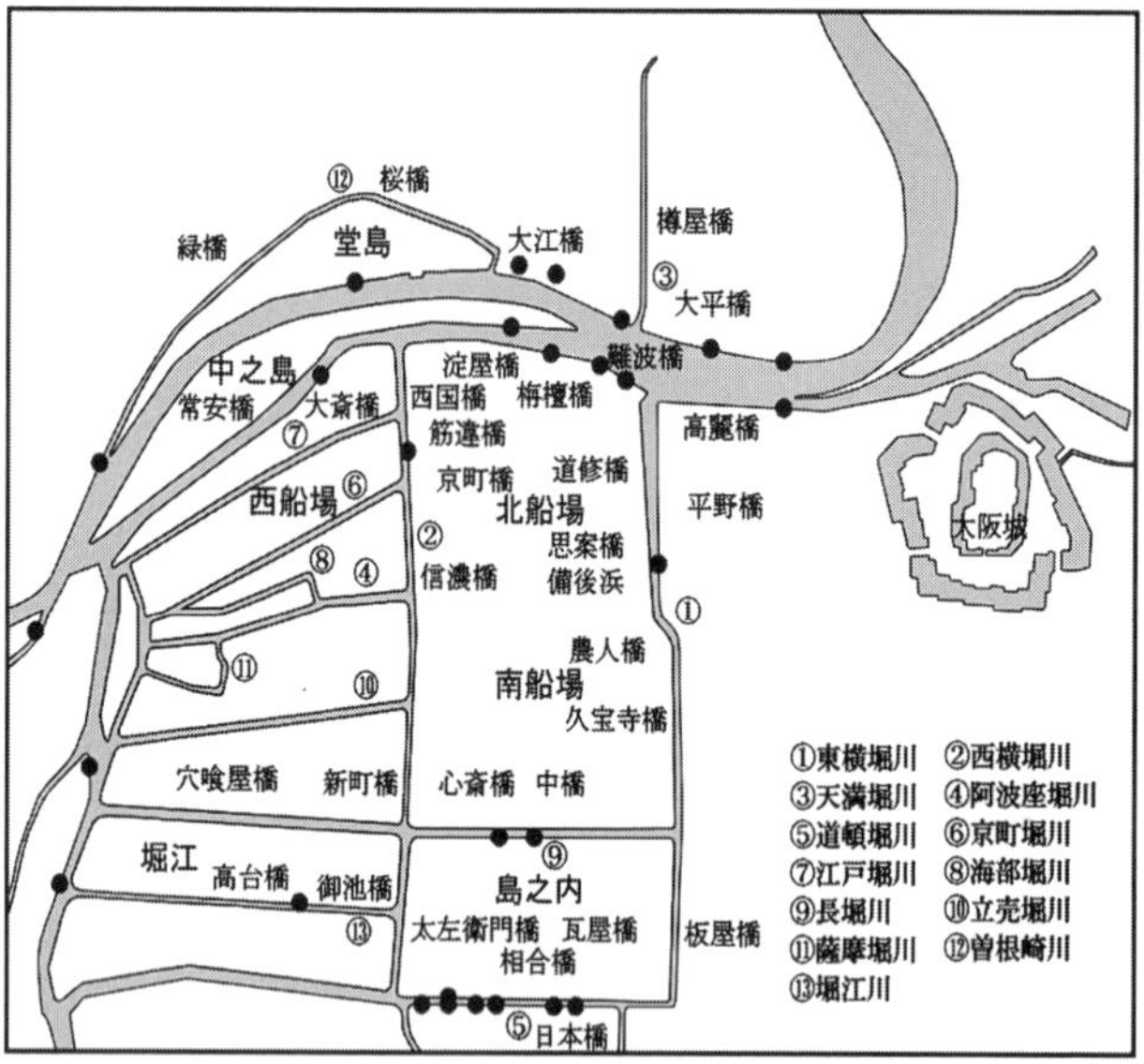

1-19　大阪堀川牡蠣船の分布　大阪淀川水系には最盛期には150隻程度が営業していた（出展：「かき広」の調査に基づき、著者作成）

態変化にも現れるようになった。

大正末期から終戦までの20年（1925〜1945）あまりの間に牡蠣船は瀬戸内海の西側から九州一帯を含み日本海側の新潟に至るまで販路の拡大が図られていき、東京では築地川にも牡蠣船の姿が見られた。また、現在の北朝鮮の平城や中国の青島にまで出向いたとされる（1−20）。

牡蠣船の機能的変化

牡蠣船は、もともとは牡蠣運搬を主目的とした荷船であり、木造の300石規模（乗組員9から12名）の当時〝弁才船〟と呼ばれた荷船が使われていた。この船は江戸時代に瀬戸内海地方で発達したもので、その後の和船の船型や構造の基本型となった船である。この船は逐次改良されつつ全国的に普及していき、小型船から大型船に至るまで多様な大きさに発展していった。その船が牡蠣の運搬と販売にも使われ、その後、牡蠣販売とともに牡蠣料理を提供する場へと機能用途を替えることで、次第に船型や構造までも変化発展させることになった。当初、1660（明暦3）年以降は、牡蠣運搬専用の荷船のため、海上を帆走するための帆柱と二挺櫓が備えられ、甲板や船倉に牡蠣を詰めた

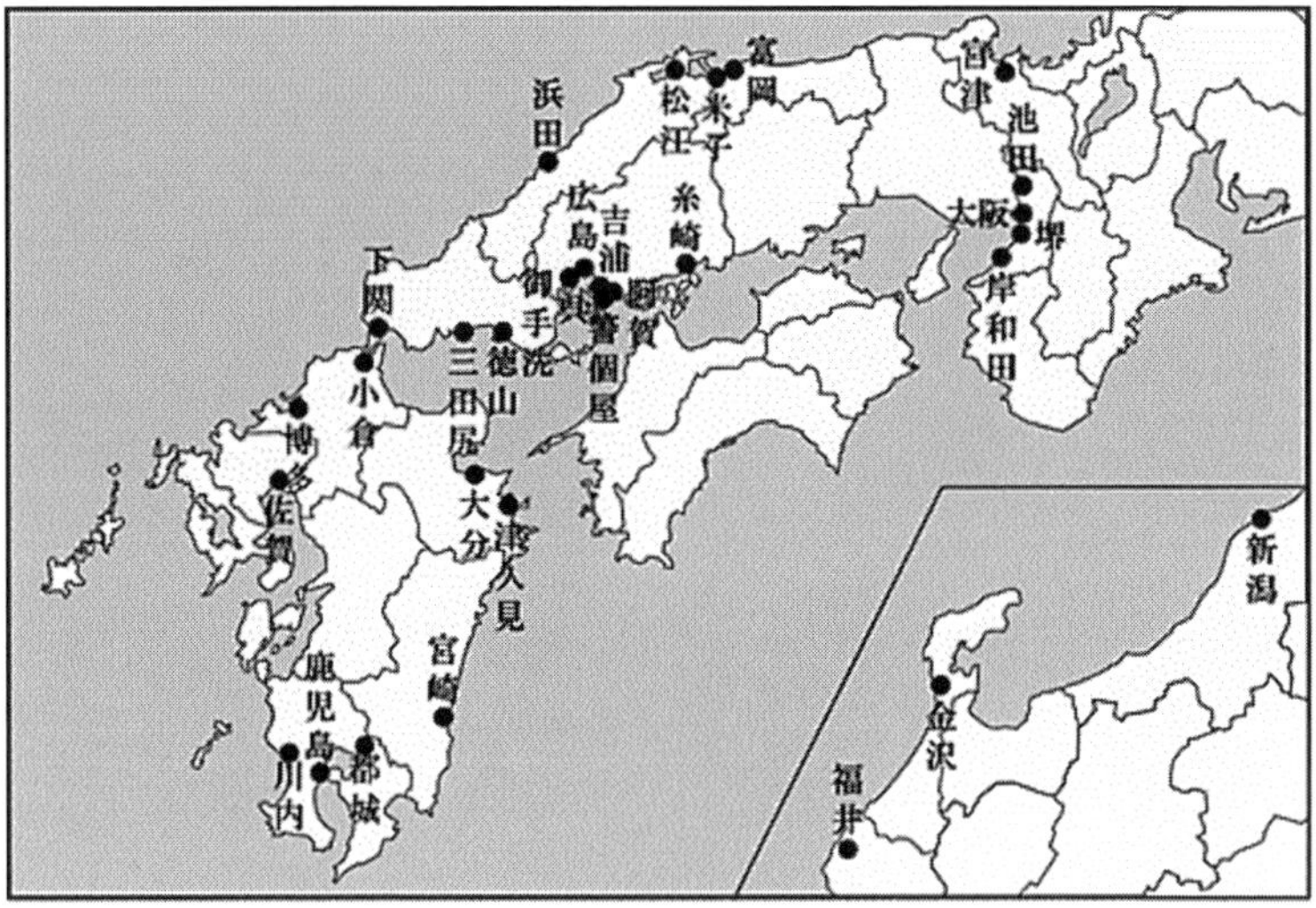

1-20　大正末期から終戦時(1925〜45)の牡蠣船販売の状況　（著者作成）

俵を積載して航海したが、護岸に船を係留して牡蠣販売を行うときには帆柱は外された。次いで1708（宝永5）年以降は、護岸に接岸して牡蠣販売を行うようになることで船の小型化（90石程度で12畳敷程度）が進み、甲板の積載荷物を覆う苫《とま》を用いて四隅に柱を設け胴の間に簡易な苫葺き屋根を架けた座敷が設えられるようになった。江戸時代後期の1805（文化2）年以降になると、弁才船は甲板上に設ける組立式の板と苫で構成された屋根がつくられ、これが上積み荷物保護用の常苫《つねとま》として普及することで、この中に屋形の構成部材と畳や障子など室内構成材一式を収納して牡蠣俵と一緒に運び、販売場所に到着後これらを組み立てた。その後1850（嘉永3）年以降になると船型を川船型の平底形態へ変更するものが登場するようになり、船型による客室の空間的制約を解消する船が建造されることで調理場や牡蠣割場も船内に設けられるようになった。1912（明治45／大正元）年以降になると自航のための帆柱や櫓を持たず曳船により曳航される牡蠣船が増え、浮函型の座敷を専用とする牡蠣船も現れはじめ、牡蠣船自らが季節的に移動することはなくなった。

牡蠣船の建築的様相への脱皮

牡蠣船は荷船から実演販売の場になり、料理を提供する屋形船形態へと変化し（1-21）、最終的には屋形船形態の牡蠣船は出向いた先に停留することで船としての移動機能を放棄してしまうまでになった。この変化の過程は船に対する要求の変化が時代とともに変わり、用途も変化を遂げ、船の形態的、空間的な変貌へとつながっていった。また、牡蠣船は求められる要求が運搬から販売、料理提供へと変化することに合わせて、乗載される空間が単に広いだけの甲板から屋根をもった居室へと変わるとともに、それに合わせて次第に下部の基盤となる船台も変化していき、それぞれ別々に形態的な変化を遂げた。江戸時代初期の牡蠣船は、広島から海上を航海して大坂に至るため、当初は苫を用いて屋根をつくる簡素なつくりの屋形が用いられ、座敷部分だけを船内に設け、調理や牡蠣打ちは船を接岸した護岸上で行われていた。その様子は「摂津名所図会大成」の牡蠣船の絵図に残されている（1-22）。その後になり、屋形部分が全て木組みによる組立式となり海上帆走後に営業地で屋形が組み立てられ、室内は畳が敷かれ衝立で小割に仕切り、船の甲板周りは障子で仕切られた。また、船の舳側が上座とされ、艫側は出入り口となり、牡蠣打ち場、調理場、帳場も船内に設けられた。明治・大正期に入ると、それまでの船の形状による調理や客室などの機能的、空間的な制約が排除されて、これらの用途空間が拡張され、下部の船台から大きく張り出した床をもつ空間的な規模の大きな牡蠣船も現れるようになった。この空間の大型化は内部の客室を増やす以外に壁や廊下を設けることで部屋の独立性を高めるとともに、床の間や違い棚の座敷飾りが設けられるなど、内部空間に対するゆとりを生み

（前ページ）
1-21　牡蠣船（広島） 船の様相から建築的様相に変化し、2階建てが建造されるようになった（出典：「広島市の100年」刊行委員会『目で見る広島市の100年』郷土出版社、1997.7）
1-22　牡蠣船絵図 「摂津名所図会大成」に掲載された牡蠣船の様子

出す建築的な空間で、もはや船とはほど遠いものとなった。ただし、船の安定性を維持するため、屋形部分における内部の空間配置は原則的に左右対称形が取られ、室内中央部に廊下が設けられるか、外廊下形式が取られた。その後、牡蠣の出荷形態が変わることにより、牡蠣船自らの帰港が不要となり、移動性を重視しない浮函型の基盤（船台）をもつ牡蠣船が建造されるなど、牡蠣船の係留地点の河川や掘割の状況に応じた船型形式が用いられるようになった。また、平面的な拡張だけではなく、立体的な拡張としての2階建て形式や入口階の階下に客室を設けたまるで建物のような様相

（上）**1-23　牡蠣船（呉）** この牡蠣船は呉市内を流れる境川に置かれ、船は船底に水を入れて川底に着底させている
（中）**1-24　牡蠣船（広島）** 元安川に係留されていた1-17の牡蠣船「かなわ」が新しく浮函基礎型に新造され、場所も上流に移動された
（下）**1-25　牡蠣船（広島）** 元安川の元「かなわ」の対岸に係留された浮函基礎型のもの

1-26　牡蠣船（松本）　松本城外堀に浮かぶ牡蠣船

を見せる牡蠣船なども昭和初期になると建造されるようになった（1-23・1-24）。

こうした形態の船は、船としての航行能力よりも、むしろ室内（座敷）の居住性やその広さ、大きさ、部屋数など店舗としての規模が重視されることで、次第に船的形態から建築的形態の様相を深めるようになり、係留場所に停留するようになった。そのため、船として自航能力は不要になり、移動には曳船が使われるようになった。こうした牡蠣船の出現により、季節営業のため牡蠣の季節終了とともに曳船で曳航されて広島に帰港する船と他の川魚などの素材を使うことで通年営業する船など営業形態の多様化が進んだ。そして、呼称も牡蠣船から船の料理屋、水上店舗などと呼ばれるようになった。１９７０年代後半には広島市内を流れる太田川、元安川、京橋川などの河川付近に多数の牡蠣船が浮かび牡蠣の季節には賑わいを見せた（1-25）。

現在は、広島、大阪、松本の市内を流れる河川や堀割りには4隻の牡蠣船が浮かび営業している。広島では呉市内を流れる境川に一艘置かれているが、この船は浮かんでいると揺れるために調理師の手元が狂い包丁を使うのが危ないということから船底に穴を開けて川底に着底させたという。もう二艘は太田川にある。大阪では土佐堀川にあり、こちらはここに係留されて１００年ほどになる。そして、長野県松本市松本城の外堀には「山国での牡蠣の販売」を目指して、１９３２（昭和７）年に広島県矢野の船大工が建造した牡蠣船を解体して鉄道で運び込み、堀の中で組み立てられて今日まで営業が行われている[12]（1-26）。

第2章

船に魅せられた建築家たち

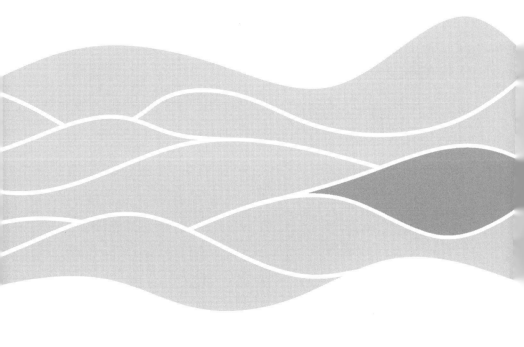

2·1

刳舟から構造船へ

刳舟の発展

四面環海なわが国では、この海を活用することにより漁業や廻船業などを発展させてきた。合わせて、それらを生業とすることで生活の糧を得る人々を全国津々浦々に多数生み出してきた。こうした海とかかわる生業を支えたものがほかならぬ「舟」であり「船」であった。「ふね」は漢字で書く場合はその大きさや用途の違いに応じて、「船（舩）・舟」とそれぞれ使いわけがされてきた。「船」は「舩」とも書くが、前者の使用が一般的には多い。「船」は「舟」よりも大きな規模の「ふね」を指し、「舟」は手で漕ぐような小さな「ふね」を指すとされてきた。また、民間用は「船」が使われ、軍事用は「艦」が使われる。

　こうした「ふね」は縄文時代頃から建造されてきたようで、その発展過程を見ていくと、当初は流木など水に浮く木材に摑まることで浮遊したり、対岸に渡るようなときに使われるようになった。後に山林から切り倒した木材を蔓《つる》や縄で束ねることで筏がつくられるようになり、浮力と安定性を増してモノを運搬するために使われるようになった。その後、木を加工するための道具が発達することで、切り倒した一本の木を刳《く》り抜くことができるようになり、丸木舟による単材刳舟《くりぶね》がつくられるようになった。このとき使われた道具がわが国では１９９６（平成８）年に鹿児島県加世田《かせだ》市（現・南さつま市）で発掘された遺跡から発見された。これは「栫《かこい》ノ原型丸ノミ形石斧」と呼ばれる丸ノミ形の磨製石斧で、１万２０００年ほど前のものとされ発見当時は世界最古のものであった。この石斧は全ての面が磨かれ刃先は楕円状に湾曲してつくられていて、舟をつくるときに木を削りやすく工夫されていた。この形のものはそ

2–1　サバニ　沖縄のサンゴ環礁における沿岸漁業のために発展したカヌー型漁船

の後も南九州を中心とした一部の地域だけで発見されてきた。後に類似した円筒石斧がフィリピンやグアム島およびわが国では伊豆諸島の八丈島、小笠原諸島などの黒潮圏域でも発見されてきたが、これらは約２０００年前から４０００年前のもので比較的新しいものであった。丸木舟は木一本を刳り抜き、そこに人が乗って櫂や棒を使って漕ぐため、当初は木の長さよりもむしろ太さのあることが重要であり、それが舟をつくるための木材選びの決め手となった。刳舟の最も原始的なつくりは原木となる木を半割にした「半割り型木取り」であったが、木の上面を切る「太鼓型木取り」が考え出されることで、舟の容積を増やすことができた。しかし、丸木舟はそのままでは切り倒した木材の長さと太さが舟としての大きさの限界となるため、乗り込む人数の増加や運ぶものの増加に合わせて次第に太鼓型木取りの刳舟を長手方向で割り、そこに板を挿入することで幅を広げて大型化したり、一本の木材から切り出した船首、胴、船尾を複数の部位に分けて、それを別の木材でつなぐことで、長さの不足を補った複材刳舟もつくられるようになった。そして、刳舟を船底にして舷側板や竪板を張った縫合船あるいは準構造船がつくられるようになり、後には船底に刳舟ではなく板材による棚板造りの構造船や日本海側で発展した「面《おも》木《き》造《づく》り」の船体がつくられることで、船の大型化が図られるようになった。ちなみに現在でも沖縄の漁船サバニは刳舟を船底（船の骨格）として板を張ってつくられている。サバニは沖縄だけで発展した漁船であるが、これはサンゴ環礁の中で操業することが多いことから、船底が珊瑚にぶつかっても丈夫であることが要されたためとされる[1]（２–１）。

　こうしたつくりによるものが舟や船のはじまりであった。先史時代の船は全国各地で比較的多く出土し発見されているため、当時の造船技術の水準を推測しやすく、縄文時代の遺跡から出土した刳舟の長さは5~7メートルほどで、幅も0・5~0・6メートル程度あり、1本の木材からつくり出された単材刳舟であることがわかった。複材刳舟についても愛知県愛西市《あいさいし》諸桑町《もろくわ》で発見された。こちらは船首、胴、胴、船尾に四分割された間に別の材が挿入されていることがわかった。ほかには東京都の中里遺跡や千葉県香取郡多古町や京都府舞鶴市浦入遺跡からもほぼ完全な形のものが発見されている。縫合船や構造船についても大阪市西淀川区大仁町鷺洲《さぎす》や同じく今福鯰江《なまずえ》川の三郷橋、愛知県海部《あま》郡佐織《さおり》町などでそれぞれ出土している。ただし、筏に関しては残念ながらこれまでのところ出土したものはない。筏は川上から川下へくだったり、あるいは意図した場所に着岸した後、筏を解体すれば建築資材ともなるため、柱や梁として用い住居などを容易につくることができた。そのため、今のところ筏が出土することは期待薄である。

刳舟の場合、複材刳舟でも船体の幅は丸太の太さに限られるため必ずしも広くはなく、人一人が座ると幅一杯になってしまう。丸太から刳舟を建造する際は傾かずにバランスが上手く取れるように刳り抜くことが要された。刳舟は丸木舟であるために波をあびると安定性に欠け、淦《あか》も溜まり易かったため、使われるのはもっぱら波のない川や湖あるいは潟や内水面、環礁の内側が多かった。しかし、漁のためには波のある外海にも漕ぎ出さなければならず、直進性はあっても波間ではまさしく木の葉のように揺れてしまい横波にはめっぽう弱く、沖合での漁には必ずしもそぐわず、むしろ不向きな舟であった。こうした苦い経験の積み重ねの賜物として、舷から腕木を出して、そこに浮材を付けて安定性と直進性を増す工夫が考え出された。これがアウトリガー（舷外浮材《げんがい》）と呼ばれるもので、それがそのまま船の形式名になっている。八丈島や小笠原の漁船にはハワイからもたらされたこのアウトリガー形式が取り入れられており、その伝統が今日まで引き継がれることで、わが国ではこの地域の漁船に限りアウトリガー形式のものを見ることができる。刳舟＝カヌーは現在でも比較的広い範囲で使われてきており、アフリカ大陸の沿岸諸国や南太平洋の大洋州諸国、フィリピンなどの島嶼国では多く見かけることができる。その中で、たとえば、アフリカ大陸のセネガルでは「ピログ」と呼ばれるカヌー形式の漁船が使われており、沖縄の「サバニ」と同様の船型をした木造船である。大きなものは20メートルほどの長さの船になる。

2-2 刳舟　マダガスカル南端のアンドハラノ集落で使われている刳舟＝カヌー。1人がやっと乗れる細身のカヌーであり、樹木の生育が過酷で大木にならないため、大型の刳舟が建造できない

これら2つの船はいずれも船の骨格が刳舟のため、船が浸水して「水船」状態になっても浮いているという特徴が共通する。一方、アフリカ大陸の東側にあるマダガスカルでもこの刳舟＝カヌー（2-2）を使った漁が行われているが、島の南端の町フォールド・ファンからさらに車で3時間ほどの距離にあるアンドハラノ集落で使われている舟の大きさは、せいぜい2～3メートル程度の長さしかなく、操業海域はもっぱら陸域近くの入江の波静かな水域に限られている。このため、水揚げされる魚も魚体の小さな小魚に限られてしまい、市場取引価格は安価となり、結果的に漁師の暮らしは豊かさを欠いた状態となっている。この地のカヌーが小さい原因は、集落の位置する場所の気候条件が過酷な乾燥地帯に属するため、植物の生育には適しておらず、樹木が育ちにくく、伐採された木を最大限活用しても小さな刳舟＝カヌーをつくり出すことがやっとのためである。一方、アウトリガーを付けたカヌー漁船をもつ集落では沖合に出て漁が行われているため、魚体の大きな獲物やときには大型の魚も獲れるため、漁師の暮らしは比較的豊かである。刳舟にアウトリガーを付けて安定性を増すだけで沿岸から沖合に漁場を移すことができ、水揚げが大きく左右されることがわかる（2-3）。

話を戻すと、刳舟を2隻並列につなぐことで規模を大きくし安定性を増した双胴船「カタマラン」がある。この形式の船は主にポリネシア、ミクロネシア、メラネシアなどで発達してきた。これら南太平洋の島嶼国は無数に散らばる環礁諸島が集まってできた国であり、島嶼間の交易でカタマランは発展した。このカタマランの呼び名は、南インドのタミール語では木材を結び付けたものという意味があり、語源的には

2-3 アウトリガー付きカヌー　カヌー型漁船では舷側に浮環をつけることで波を受けても舟を安定させるようにし、沖合で操業できるようにしている。日本では八丈島の漁船が伝統的にこの形式を取り入れている

筏が派生したという説があったり、インド・タミール地方から伝来したものとする説もある。わが国とカタラマンの関係は、記紀の海幸彦・山幸彦の神話において「無目堅間小舟（マナシカタマコフネ）」が出てくるが、この「堅間」はカタマランに由来するという説がある。ほかには「無目堅間」は別名「無目籠」とも言われ、竹を編んだ籠のことを指し、籠は舟として使われていたという。堅間（カタマ）は「籠」を指し、「堅」と「編む」に由来しているという。「編む」ということでは竹を編んだお椀のような、竹笊のような、籠のような形の舟がベトナムにはあり、地元では「トウェント」（2-4）と呼ばれており、この直径2メートル程度の舟を使って波打ち際で小魚漁をする地域がダナン辺りで見られる。この文化が黒潮に乗って遡上し、沖縄から九州南部へと渡来したとする説がある。ちなみにこの籠舟は今でも台風によって時折九州地方の海岸に漂着することがある。[2]

舟は、縄文時代には単材刳舟でつくられていたが、弥生時代には準構造船（刳舟を舟底に使い、舷側版や竪板などの船材を加えた船）へと変化した。その後は竜骨や肋材《ろくざい》といった梁材で応力を受ける洋式船とは異なり、わが国では長大厚板材を継ぎ合わせて構成する構造船（骨組みと板材により建造された船）が独自に発展を遂げることで大型化した。これは徳川幕府による鎖国政策が造船技術の発展の妨げとなり、日本前（中国式ジャンク船とスペイン式ガレオン船との折衷形船）やウィリアム・アダムス、伊達《だて》政宗《まさむね》の造船技術が断絶されることで生み出された代物で、幕末以降に洋式船が導入されるまではこの構造船形式の船が「和船」の「弁財船」や「千石船」として建造されてきた。この和船は竜骨などがないために航海性能に難があり、沖合に出ることはな

2-4　トゥエント（籠舟）　竹を編んでざるのような形にした舟で波間での小魚漁に使われる．昔は水の侵入を防ぐために牛糞を塗っていたそうだが今はタールを塗る

く陸地の望める範囲の沿岸部での航行に限られていた。この船が活躍したとされる「海」は瀬戸内海を中心にしたもので、他の海域では陸域沿いのヤマ宛てができる範囲の浅海域の航行に限られていた。[3]それがために外洋で度々海難事故を起こしていたことから、「板子一枚下は地獄」のような言説が生まれ、日本特有の海洋恐怖症が生み出されてきたとされる。

舟木山と船大工

一方、船をつくるうえでの材料は杉が一般的には多用されてきていたが、これはわが国では建築材として杉が広く普及していたことが影響している。杉は建物を建てる際に多用されていたため、建築材として供給するために各地の海沿い、川沿いに数多く植林されてきていた。そのため、船をつくるうえでも入手が比較的容易であったこと、合わせて船材として使ううえでの軽さ、柔らかさ、曲げやすさおよび浮力の大きさや水密性が高いことなどの材料特性をもち合わせていたことがあげられる。ほかには檜《ひのき》、楢《なら》も使われたが、多くの場合、地域に自生する入手しやすい植生に依存してきたため、太平洋側と日本海側では使われる材質に若干の違いが生じていたり、船の構造面にも違いが見られた。特徴的には瀬戸内海や太平洋側では温暖な地域に生息する楠《くすのき》や榧《かや》が使われていたが、日本海側ではほぼ杉が使われていた。しかし、船の大型化が進み大型船の建造が盛んになると、使われる長大木の太径材《ふとけいざい》の入手が難しくなり、一材で一艘の建造は賄えなくなり、複材として板材を張り合わせて建造する技術が生み出された。こうした技術的発展により瀬戸内海、太平洋側では船の大型化が進

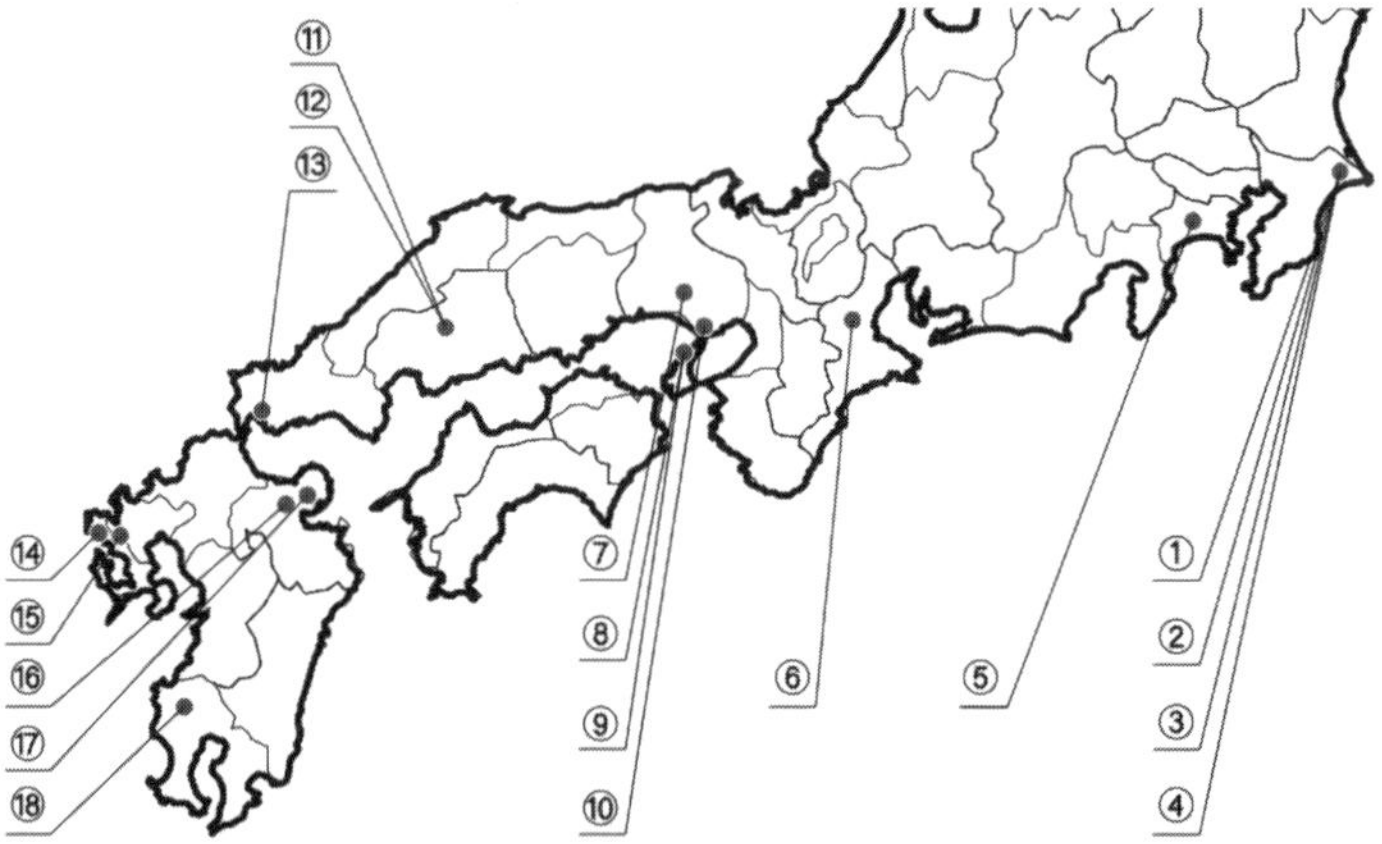

①	船木（千葉県銚子市）	②	船木台村（桃子市）	③	小船木（千葉県銚子市）
④	船木（千葉県長柄市）	⑤	船田郷（神奈川県厚木市）	⑥	船山（三重県美里村）
⑦	船曳（兵庫県三日月町）	⑧	船木（兵庫県小野市）	⑨	船木（兵庫県北淡町）
⑩	舟上（兵庫県明石市舟上町）	⑪	船木（広島県高宮町）	⑫	船木（広島県大和町・本郷町）
⑬	船木（山口県楠町）	⑭	船木（長崎県平戸市）	⑮	船山（佐賀県）
⑯	船木山（大分県宇佐郡院内町）	⑰	船部（大分県杵築市）	⑱	船木（鹿児島県宮之城町）

2-5　舟木山の分布　千葉県銚子から瀬戸内海、九州鹿児島に至る太平洋側沿岸部の広範囲な場所にこの名の付く山が分布しており木造船建造のための用材となる杉などが植林されていた（出典：大阪国際フォラム「海洋性木造文化の継承・発達と太径長大材の生産供給システムの持続」第36回公開フォラム 木造建築研究フォラム、資料2を参考に著者作成）

展したが、日本海側では必ずしも進展を見せることはなく、それぞれ地域性としての木材の性質を反映した造船技術が独自に発達することで、地域特有の船型をもつ船が建造されるようになり、木材が造船技術の地域的な発展を左右することにつながった。また、木材を用いた木造船の建造技術は、供給される木材が唯一無二に重要さの比重を増すことになるが、それを支えてきたのが各地に残る「舟木山」「船来山」など（2-5）と呼ばれる山林である。[3] この名が示すように木造船の建造のための用材となる木々が植林されてきた山林のことを指すもので、千葉県銚子から九州鹿児島に至る太平洋側沿岸部の広範囲な場所にこうした名の付く山が分布しており、特に瀬戸内海地域を見ると、海側に沿うように兵庫県、広島県、山口県、大分県には舟木山が比較的集まっていることがわかる。また、各地にある漁村集落を見ると、その背後に迫る山には杉林や松林、楠林などの林があるが、これら山林は季節風を防ぐ役割を果たしているが必ずしも自然のままに自生した雑木林ではなく、おおむね植林された材木林である。この山林は木造の漁船が使われていた時代、舟が古くなり耐用年数を過ぎて取り換え時期を迎えたとき、ここから木を切り出して新たな舟を建造するための船材として使うために、集落ごとに植林されてきたものが多い。また、山林は魚付き保安林の役を兼ねたものが多い。

漁村では造船用の木材を適地適木の原理に従い植林する習慣が伝承されてきていたが、木材は育つ地域や自生する場所によって性質は微妙に異なり、北側斜面で育った木は節が少なく直材となりやすいことなどがあり、地域ごとでその使い方が異なる。

一方、わが国の木造船の技術は構造船において見られるように、何枚もの板を舟釘で丁寧に張り合わせながらも、まるで1枚の板に見える滑らかな表面の板をつくることで水密性を高め、その板を曲げと捻《ひね》りにより船型が生み出されている。こうした高度な木造加工の技術が要されることで、次第に船大工特有の技術の確立とその技術の取得により、船大工としての職能が確立されるようになっていった。他方、船大工は木材を加工するだけではなく、木造船をつくるうえでの船材となる原木選びやその製材までをも担っていた。船材となる木材は曲げや捻りが加えられるため、木のもつ性質を見極めることが重要であり、たとえば、舟の右舷と左舷では同じ木から取った材を使うことがバランスの良い舟体をつくることになるとされてきたことなどがある。

室町時代末期になると造船技術の向上を背景にして、それまでの刳舟に舷側板を付けた準構造舟から脱するようになり、船体全体を大板構造により構成する構造船が建造されるようになった。このことにより船幅の制約を受けずに積載能力を高めることが可能になった。構造船は板を張り合わせることで船体をつくり出すため、板材の長さと幅によっては船の大きさは自由に決められるために、大型船も容易に建造できるようになった。こうした板材の扱い方を通じて木造船のための木割術が考え出され、各部の寸法や寸法の割合が決定されることで体系化が図られ、次第に船の使用目的に応じた大きさ＝規模が定まるようになっていった。

この木割術は建築における木割や木割書と同様の考え方であった。そのためか、木造船の建造技術に関する用語と建築における用語や構法を見比べると、その類似性が比較的多いことに気づかされる。主なものを順不同に列挙しただけでも、梁、床、破風《はふ》、仕口、継手、ほぞ、栓、木殺し、棚板、敷板、船枻《せがい》造《づく》り、摺《す》り合わせなど、造船と建築の両者には共通する用語の多いことがわかり、相互の技術的な関係性の深いことがわかる。

船大工による木と木を摺り合わせる技法は、船体となる板と板を隙間なく密着させることで外部からの水の侵入を防ぐ水密性を高めることに要される重要な技術である。一方、時期を同じくして樽や木桶がつくられるようになり、味噌や醤油を醸造するための樽や桶から風呂桶などもつくられるようになった。樽も桶も板と板を密着させてつくり出すが、こちらは中に入れた味噌、醤油が漏れずに風呂桶は中のお湯がこぼれないようにすることが必要であった。構造船と風呂桶は侵入と漏れといった丁度逆の状態が求められているが、どちらも板材を摺り合わせて寸分の隙間もなく密着させる技術が要され、同じ時期に同じ技術が生み出されていることから両者の関係性は深いと思う。

船大工と大工

諸外国にも見られることだが、船大工が陸の建築を建てる大工を兼ねることは古くからあった。大和朝廷は瀬戸内海や伊勢湾などの制海権を握ることで全国を制覇し古代国家の基盤を築いてきたが、制海権を握るためには船が要され、それを建造していたのが猪名部を名乗る木工技能集団であった。彼らは三重県猪名《いな》川と兵庫県員弁《いなべ》川の流域河口部にあたる現在の地名では桑名と尼崎あたりで、伊勢湾と瀬戸内海に面した場所に当時の2大造船所を築きあげていた。そこで船大工として準構造舟を建造していた。この舟はそれまでの丸太を刳り抜いただけの刳舟（丸木舟）とは異なり、刳舟の側面（舷側）と前後（竪板）に板をつぎ足すことにより積載量を増強した大きな船体をもち、建造には技術が要される舟であった。川添登《かわぞえのぼる》（建築評論家）によれば、「日本書紀」に記された初めての大工《こだくみ》の名は猪名部真根《いなべのまね》と闘鶏御田《つげのみた》の2人で、雄略《ゆうりゃく》天皇12年勅命《ちょくめい》で皇居宮殿を建てた名工とされる。猪名部百世《ももよ》は、大工でありながらも東大寺の棟梁となり伊勢守に命じられた。猪名部は、もともとは船大工の集団であったが次第に陸上がりして畿内・近国に在住するようになり、東大寺、法隆寺、石山寺、興福寺などの建立や大型の建築を手掛けていくようになり大工へと脱皮を図っていった。[4]

　こうした船を建造する船大工から陸上の建築を建てる大工に転身する例は比較的多く見ることができる。大工を育んできた地域では、その土地柄からか、大工、宮大工、船大工、建具大工、家具大工などの大工に類する職や職人を多数輩出している。船大工は家を建てる大工よりも、木材を曲げる、捻るなどの加工技術を取得しているほかに、水密性の高い木の摺り合わせ技術や細部の詳細なつくり込みなど高度な技術も取得しているため、他の大工仕事（職）に転身しやすかったのかもしれない。そのためか、船大工から転身した大工が手掛けてきた建築は古今東西を問わずに、風格や様式が重んじられる神社や寺院などを比較的多く見ることができる。こうした大工を長年数多く輩出してきた代表的な地域は、宮城県気仙沼《けせんぬま》、新潟県出雲崎《いずもざき》、岡山県邑久《おく》、香川県塩飽《しわく》、山口県長州《ちょうしゅう》などであり、これら地域からは通常の大工と船大工が輩出されてきていた。一方でこれら地域は在方集住大工《ざいかたしゅうじゅうだいく》と呼ばれ、地元から離れての出稼ぎを主体とした就労を行ってきていた。

　このうち、塩飽大工と呼ばれた大工は瀬戸内海に浮かぶ香川県の塩飽諸島の出で、そこは瀬戸内海の中で島嶼の集まる岡山県と香川県に挟まれた西備讃瀬戸《にしびさんせと》にあり、大小28の島嶼からなる。地名の由来は「塩焼く」とも「潮湧く」とも言われ、塩飽水軍（海賊）の発祥の島として栄えた。特に廻船業や造船業が発展し、幕府の御用船の船方を務めるなど、多くの船大工を輩出してきた。しかし、江戸時代中期に廻船の運航権を大坂の廻船問屋に奪われることで、廻船業は衰退を余儀なくされ連鎖して造船業も衰微するようになった。そのあおりを受けることで造船業に従事してきた船大工は職を失うことになった。そのため、塩飽の船大工は培ってきた造船技術を生かすことで建築物を建てる大工に転じざるを得ず、中国地方や関西方面に出稼ぎするようになり、社寺の造営や民家を手掛け町並みづくりに従事し、宮大工や家大工へと転身を図っていった。塩飽出身の彼らは腕の良さで名を馳《は》せ塩飽大工と呼ばれ、海から陸へと活躍の場を移していった。

　今日、塩飽大工のおひざ元、塩飽本島内に残る13の神社と24の寺院や歴史的建造物の塩飽勤番所や制札場などの建築物および伝統的建造物群保存地区の民家のほかに、岡山県内や香川県内にも初期に手掛けた社寺が残されている。明治時代

2-6　三角家（佐渡島宿根木）　新潟県佐渡島の宿根木集落にある民家。集落内が狭隘なため敷地形状に合わせて建築形態が生み出された。この集落の民家はおおむね船大工が船板を使って建築している。船板は縦使いとなっている

（次ページ）
2-7　琵琶湖湖岸の集落民家に見る船板壁　農村集落でも、解体された田舟の船板を腰板として横板張りで使用している。全国的に船板は使われているが、地域によって縦使いや横使いの違いが見られる。滋賀県東近江市五個荘金堂町の蔵の外壁に見る田舟板

には大阪や神戸にも出稼ぎに出ていった。このうち、大阪に出た大工は「大菊《だいぎく》」（大阪島之内）「大弥《だいや》」（大阪船場）「大七《だいしち》」（大阪難波）の3組に分かれ、前2者は問屋や商家、後者はお茶屋の建築にそれぞれ携わった。幕末には450人の塩飽大工がいた。

船板による家づくり

同じく新潟県は佐渡島の南西部に位置する小木《おぎ》半島の南側端部に小木港と呼ばれる小さな港がある。そこから4キロほど離れた場所に宿根木《しゅくねぎ》集落がある（現在、集落は重要伝統的建造物群保存地区に指定）。小木半島は隆起海岸の段丘が発達した場所で、北側と南側では地質的に大きく異なり、それがそのまま集落の住居配置の違いとなって表れており、北側では段丘の上に農家が田畑を耕していたが、南側では海蝕でできた入江の奥まった谷間のわずかな平地に密集した集落が形成されていた。このため、南側海岸には小さな集落しかなく、沢崎、深浦、宿根木、虫谷、元小木の集落が張り付いていた。このうち、宿根木集落では漁師が特に少なくかつ水田に引くための水が少量で、水田は少なかった（後に村人の努力により地下水を掘り当てた）。そのため、村民は慶長期（1596〜1615）からの金山による相川地区の繁栄を眺めながら、船子としての出稼ぎが多数いた。しかし、西廻りの北前船の航路が開かれて小木港が寄港地となるとモノや人の動きが活発になり港は活況を呈し繁栄するようになった。この繁栄により廻船問屋や船子、職人が宿根木集落に流入することで人口が急増、小木半島では最も住戸数が多くなり、集落というよりも町の様相を見せるまでに発展するようになった。ただ、ここの港は海蝕作用によりできあがった入江であったため、船着

2-8 民家に見る船板壁 滋賀県東近江市伊庭町の納屋の外壁（右側）に使われた田舟板

き場を拡張することが難しく泊地としての水域の広さには限界があった。背後の集落用地も同様で、狭小狭隘なために地元の農家では土地を細分化したり、新たに造成することで宅地を増やしたが、もともと平地が少ない場所で人口の急増に対応してきたため、集落形態は次第に特異な形を見せるように密集していった。そのことが、小木地区で見られる他の集落の民家とは異なった特有の建て方を生み出す原因ともなった。[5]たとえば、よく知られた宿根木の「三角家」（2-6）と呼ばれる民家は築150年ほど経つが、集落内の土地が狭いため、敷地形状に合わせた建物形態を見せており、おむすび型の三角形をした特異な形状で、内部も通常の居室のつくりとは異なった形態となっている。さらに、集落内はほぼ総2階の民家がせめぎ合うように立ち並んでいるが、ここに立つ民家は全て船大工によって建てられてきたもので、使われている建築材料もほとんどが船板や舟釘を再利用して建てられてきている。このため、通常の建築用の板よりも厚い板が使われており、外壁の張り方も通常は横板張りの下見張りが多いが、ここでは船底の板をそのまま使うため縦板張りとなっており、三角家もこうした船板の再利用で建てられてきている。古くなった船を解体した船板を建築に使うことについては他の地域においても見ることができ、船板の再利用は海側の漁村だけに限らず、農村部でも田舟の船板の再利用を見ることができる。滋賀県の琵琶湖周辺にある五個荘《ごかしょう》や伊庭《いば》などの湖岸の集落（2-7・2-8）では、古くなって解体された田舟の板の表面を焼き、それを蔵の腰板として横板張りに使用している。張るときには船の形に切った板を張り合わせているために舷側か船底かひと目で船板の使われていた部位が見てとれる。ただ、船板の張り方はもっぱら横張りが多く、宿根木のよ

2−9　称光寺の山門の扉（佐渡島宿根木）　右と左で家大工か船大工かの違いがわかるという。右は板の継ぎ目がわかるが、左は継ぎ目が見えない。船大工は船が水漏れをしないように木の繊維をつぶす工法をもっており、左扉はその技術が使われている

うな縦板張りでの使用は珍しい。もう1つ面白いのは宿根木集落の奥にある称光寺《しょうこうじ》の山門の扉（2−9）が左右で大工職人の異なることがはっきりと見てわかることがある。山門の右側の扉は板の3枚つなぎがはっきりわかるが左側はほとんどわからない。これは船で行われる水を侵入させないための木の繊維を「つぶす」工法がとられているためで、家大工と船大工の技術の違いをこの扉で見ることができる。一説では右の扉は家の大工で左の扉が船大工と言われてきているが、佐渡島で300年近く建築活動と大工集団として活動した藤井家が1717（享保2）年に藤井五郎右衛門昌常ら9名が称光寺山門にかかわったとする棟札がある。ほかにもこの地では「包み板」と呼ばれる船を覆う板が使われてきていたが、この板を定期的に変えた後に民家の外壁などに再利用している。[6]

2-2 建築家と船

造船に対応した造家から建築へ

塩飽大工の技術は、船大工の時代から蓄積されてきた高い木材加工技術を継承することにより、神社仏閣などの繊細な加工表現が求められる伝統的で様式的な様相の木造建築や、民家や町家の木造建築に引き継がれていった。こうした建築物は今日、文化財や重要伝統的建造物群保存地区などに指定されてきており、塩飽大工のもつ技術水準の高さをうかがい知ることができる。このように船大工から家大工あるいは建築

の大工に転身することや造船で培われた技術を建築に転用することは古くから行われてきており、わが国に限らずアジアやヨーロッパなどでも見ることができる。このため、先述したように船や造船にかかわる用語や言葉と建築にかかわる用語や言葉が非常に類似している場合も多々見受けられる。このことからも、造船と建築の双方の技術的な近似性をうかがい知ることができる。ただ、逆に陸上の建築を建ててきた大工が船大工になったという話は今のところ聞いたことがない。こうした関係性について建築評論家の川添登は、わが国では近代以降、「建築」は「造船」と結びついた大工技術体系として発展してきた経緯があるとされているが、そのためか、明治時代の東京大学工学部建築学科の前身を見ると工部大学造家学科と呼ばれており、建築学会も造家学会と呼ばれていた。このように建築を「造家《ぞうか》」と呼んだのは、「造船《ぞうせん》」に対する対置であったと指摘しており、船をつくることを造船と呼ぶことに対して、家をつくることを造家と呼ぶことにしたもので、建築と船との関係性の深いことがわかる。[7]なお、１８９２（明治25）年に造家学科を卒業し、その後東京大学教授となった伊東《いとう》忠太《ちゅうた》は、この「造家」の呼び方は即物的すぎると指摘して、アーキテクチュールの本義を説くことで其譯字《そのわけじ》を選定し「造家」を「建築」に変えた。[8,9]

　現代の建築においても、たとえば、１９７７年にフランス・パリで開館した現代芸術の拠点「ポンピドゥー・センター」は建築家レンゾ・ピアノ、リチャード・ロジャースの出世作品として名高いが、完成当時はエッフェル塔と同じように酷評されていた。この建築はスペース・フレームを多用して建物の外部にエレベータや空調などの設備系パイプなどを配し、それをカラフルにペイントした斬新なデザイン

2-10　せんだいメディアテーク　造船技術が使われることで鉄骨フラットスラブ（鋼鈑サンドイッチ構造）を可能にし、建物全体から軽快感を感じられるようになっている

をまとっていた。それを可能にしているのは建物を構成するスペース・フレームのジョイント部であるが、この主要部はマルセイユの造船所の造船技師がつくったとされる。また、グラン・パリ・プロジェクトの一環として改修されたルーブル美術館は、イオ・ミン・ペイの設計により中庭部分に新たにガラスのピラミッドが象徴的に設けられ、それが入口部分を構成しているが、この内部空間は、マルセイユの船大工職人が造作した型枠を使った打ち放しコンクリート壁で美しく滑らかな表面を見せる。ペイは特に指名して船大工職人を使ったと聞くが、この壁の表面の仕上げ状態が船大工の技術の高さを物語っている。一方、わが国では建築において鉄鋼を用いた作品が増えてきているが、それを可能にしているのがやはり造船技術の援用によるものである。これは単に鉄鋼で建物を建てるということではなく、建築家の思想に基づく表現を造船で養ってきた技術を駆使して具現化するというものである。造船は昔から鉄板による船体をつくるとき、水とバーナーだけを使って、鉄板を自由に曲げて滑らかな船首や船体を生み出してきた。こうした造船技術を用いてつくられた現代建築が、1994（平成6）年に宮城県気仙沼市に開館した「リアスアーク美術館」、2001年に同じく仙台市に開館した「せんだいメディアテーク」（2-10・2-11）、2004年東京銀座にできた「ランバン」などであり、これらの作品は随所に造船技術が用いられることで、従来の建築では不可能であった建築的空間を表現したり、建物全体を自由曲面で構成したり、ハニカム構造により床を薄く軽くしたり、窓枠のない壁と窓を一体化したファサードを実現するなど、通常の建築技術では実現することができなかった軽やかな様相を見せることができるようになった。[10] こうしたことを可能にでき

（前ページ）
2-11 せんだいメディアテーク 内部は柱がなく鉄骨独立シャフト（チューブ）鋼管トラス構造で構成され、各階高も異なる空間構成を採用している

2-12 ストリームライン・モダン 東京原宿のキャットストリートに80年代に建てられた「ピンクドラゴン」はストリームライン・モダン様式のマイアミデコなデザインでまとめられている

たのは造船技術があればこそのもので、これらを施工してきた髙橋工業は、もともとは気仙沼の造船会社であったが、その技術を建築に取り入れることで従来までの建築技術では不可能であった空間を自在に生み出してきた。社長の髙橋和志によると、建築は柱や梁が応力を負担する軸組み構造が一般的であるが、船舶は船体を構成している船殻（船体の外皮）が応力を負担するモノコック構造で、船殻面が船体のシルエットとなるため、こうした造船技術を建築分野に融合することで新たなモノづくりができるという。[11]

船の影響を受けたストリームライン・モダン様式

わが国においても近年、主要な港湾でクルーズ客船を見かけることが増えてきたが、このクルーズ客船とモダニズム建築の間にも共通した事項がいくつかある。その1つは、互いに規模が巨大化する傾向にあることがあげられる。ふ頭に停泊中のクルーズ客船の姿は、もはや船首の船らしい形を見なければ、そこに見えるのは数え切れないほどに積み重ねられた何層にもわたるデッキの姿しかない。そのため、デッキの居並ぶその姿から〝浮かぶマンション〟や〝浮かぶリゾートホテル〟と揶揄《やゆ》される向きがある。その一方で、都心部に立つビルの中にはその形とボリューム感から〝軍艦ビル〟や〝戦艦ビル〟と揶揄されるような大きさを誇るものが出現してきたり、わざわざ客船のシルエットを真似て積層されたデッキデザインを取り入れたリゾートマンションやホテルが都市の臨海部に建設されたりしている。

今は亡きパンアメリカン航空によって大型旅客機による太平洋や大西洋を横断する

2-14　山の上ホテル　川端康成、三島由紀夫、池波正太郎など作家に親しまれたホテル。ウイリアム・メレル・ヴォーリズの設計によるアールデコ様式の建物

2-13　原美術館　1938年に原邦造の私邸としてバウハウスやアールデコの様式を取り入れ渡辺仁が設計。後に現代美術館に改修され、その後磯崎新監修でカフェやホールを増築。2021年1月に閉館

2-15　東京都庭園美術館　1933年に朝香宮邸として竣工した。アールデコ様式を取り入れた建物で、国の重要文化財に指定されている。1983年に都立美術館となった

2-16 ガンツウ　常石造船が建造した瀬戸内海を歩く速度で航行する客船。浮かぶホテルを標榜するように外観は陸にある建築の様相を見せる

航空路が開設される以前、1930年代前半は、タイタニック号やクイーン・エリザベスI世号など豪華な大型客船が全盛期で相次いで大西洋上に就航した。この大型客船はその姿かたちはもとより当時の最先端の技術による機能性や居住性を備えており、醸し出される空間の雰囲気は見るもの誰をも魅了し虜《とりこ》にした。特に建築家らはその美しい姿かたちと先進性に「ひと目惚れ」してしまい、彼らをして「客船は建築が目指すべき規範」であるとまで言わしめた。そのため、この頃の建築は挙《こぞ》って船につけられた丸窓（舷窓）を模した窓が用いられ、丸みを帯びたカーブを取り入れたデザインをまとうようになった。丁度この頃、自動車や飛行機、船などの工業製品が新たな文明の象徴として扱われるようになり、機能的で実用的な形態はモチーフとして様式化されることでアールデコ様式が生み出された（2-12）。

1925年4月には「現代産業装飾芸術国際博覧会」（通称：アールデコ博）がパリで開催された。このアールデコ様式はフランスではじまるが流行るのはむしろアメリカであり、ニューヨークに立つ摩天楼のクライスラービルやエンパイアステートビルをはじめ、シカゴやサンフランシスコなどの大都市に立つ主要な建築物のデザインとして取り入れられた。日本では原美術館（旧原邦造邸）（2-13）や御茶ノ水にある山の上ホテル（2-14）、東京都庭園美術館（旧朝香宮邸）（2-15）、伊勢丹新宿本店、日本橋三越本館のほかに官公庁の建物に比較的多く採用された。

この幾何学的な線とパターン化されたモチーフを装飾化したアールデコ様式から派生して生み出された様式が、ストリームライン・モダン様式と呼ばれるデザインで、アメリカのフロリダ州のマイアミを中心にして流行した。フロリダ半島の日差しの強

2-17　ジェノバ水族館　ピアノの設計によるジェノバ港の埠頭に建てられた水族館。Ⅱ期の増築工事では船首のような形態を見せ、海面に浮かぶ（写真は船尾側）

い熱帯気候を反映したリゾート地としての土地柄を受けてマイアミ・アールデコやマイアミ・モダン（MIMO：Miami Modern）、トロピカルデコとも呼ばれた。今日、映画のスターウォーズやアニメのガンダムなどから影響を受けた車や家電製品や建物のデザインが増えているが、同じようにこのストリームライン・モダンはまさにこの当時、最先端のデザインとして大型客船の姿かたちを構成するラインやシルエット、ディテールを建物に取り入れてデザイン様式として確立したものであった。このストリームライン・モダンでは建物形態はカーブや長く伸びた水平ラインが強調され、外観は丸窓や欄干などが用いられることで客船を彷彿させる建築となり海事様式とも呼ばれた。初期の建物デザインはファサードには船橋《せんきょう》をイメージさせるような中心性の高いシンメトリーなデザインでまとめられ、円柱やタワー状の付加部位がつけられた。その後、ファサードの中心性は敷地のコーナー部に合わせたデザインへと移行し、そこに縦に延びる軸性が強調された形態の尖塔などが付加されたものへと変化した。

建築界の巨匠ル・コルビュジェをもってしても大型客船は「新しい建築の形態」と言わしめ、客船を参考にしてマルセイユの集合住宅ユニテ・ダビタシオンを設計したと言われているし、実際大西洋に就航が計画されていた大型客船の計画に参加したい旨を船主に打診していたが、このときは返事はなかった。その後もいくつかの船会社に提案を行うことで、設計図への批評の業務を唯一受けることができた。

日本では建築家の山田守がやはり東京逓信病院の計画において大型船の影響を受けていたという。また、大御所建築家、村野藤吾、中村順平《なかむらじゅんぺい》、岡田信一《おかだしんいち》らに至っては大型客船の内装を手掛けているし、近年の建築家堀部安嗣《ほりべやすし》は瀬戸内海の島嶼部を運行す

2-18　Point CounterpointⅡ世号　カーンの設計によるコンサートホール船（出典：ArchinectNews）

る小型の客船「ガンツウ」（2－16）を設計している。この客船を見ると切妻屋根の小ぶりな建築をそのまま船の上部甲板に載せたような印象を受け、ふ頭に接岸している姿はまさしく海面に立つ建築そのものと見間違えるような様相を見せる。

先述したピアノはわが国では関西空港などの設計で知られるが、彼は建築家でありながらも大型のクルーズ客船やヨットの設計も手掛けてきているし、イタリア・ジェノバの港湾内のふ頭の上に水族館を設計し、Ⅱ期の増設工事では船の船首部分にも似た形態をもつ浮かぶ水族館を設計している（2－17）。

カーンの手掛けたコンサート船

建築家のルイス・カーンも船を設計している。「Point Counterpoint号」（2－18）と命名されたFloating Concert Hallである。この浮かぶコンサートホールはカーンの友人であった指揮者のロバート・オースティン・ブードローが、1960年にどこかのパーティーの宴席でカーンに会った折、彼と彼の吹奏楽団アメリカン・ウインド・シンフォニーオーケストラのために浮かぶコンサー

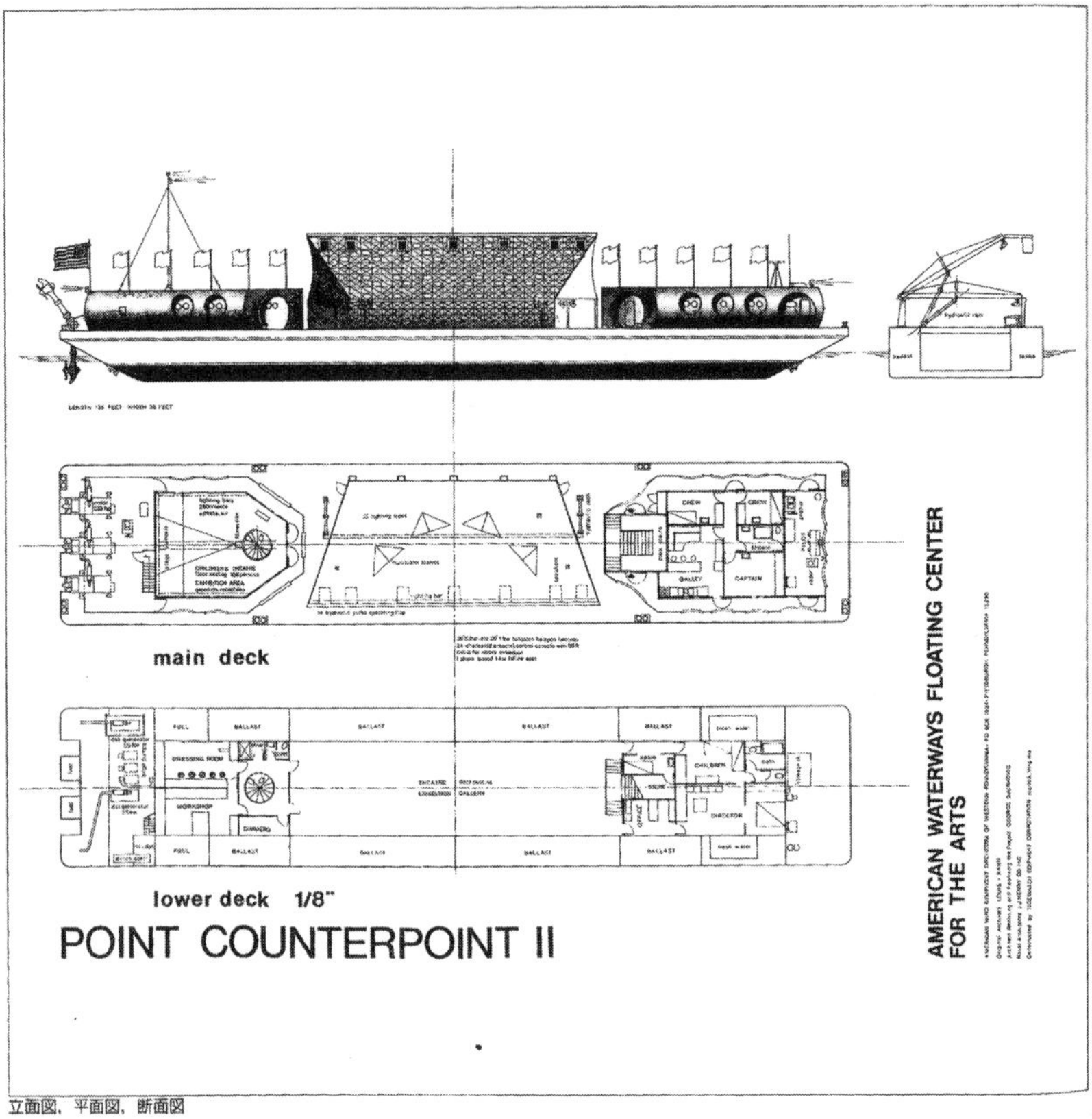

立面図，平面図，断面図

2-19　Point Counterpoint Ⅱ世号の平面図（出典：ウルス・ビュッティカー著、富岡義人・熊谷逸子共訳、『ルイス・カーン―光と空間』鹿島出版会、1996.9）

トホールをつくり、世界中に音楽を届けたいと言う夢を語り、その夢の実現をカーンの腕に委ねた。この浮かぶコンサートホールは資金集めに時間を要したが、1隻目は1961年に進水し、ロンドンのテムズ川で予定されていたコンサートに使われた。コンサート終了後も船は現地に残され使われていたが後に解体されてしまった。[12] その後、2隻目が1976年のアメリカ建国記念日に進水し「Point Counterpoint Ⅱ世号」と命名された。しかしながら、設計者のカーンは1974年にペンシルバニア駅で心臓発作のため亡くなり数日後に死体安置所で発見されるという数奇な運命をたどったため、彼自身は2隻目の雄姿を目にすることはできなかった。

　このⅡ世号は、進水後はブード

ローの夢であったアメリカ国内の河川や湖、運河を自由に移動して各地に出向き、彼の指揮による吹奏楽団の音色を届ける役を担った。ブードローのそもそもの考え方は、聴衆が演奏会場に出かけて行くのではなく、演奏会場が聴衆のいる場所に出向くといった通常とは正反対の考え方をもち合わせていた。このユニークな考え方により、建造された浮かぶコンサートホールは、指揮者のブードローと彼の吹奏楽団の演奏活動をアメリカ国内76都市で開催することを可能にした。この成功により浮かぶコンサートホールはアメリカ国内だけにとどまらず、再び国外にも出かけるようになり、カリブ海から大西洋を越えたバルト海やアイルランド海などにも航海するようになる。ヨーロッパの沿岸各国の都市やロンドンのテムズ川やパリのセーヌ川を遡上したり、各国の河川や運河を遡上して内陸各地の主要都市でも演奏活動を行った。特にコンサートホールのない町や演奏会に出かけられない人々にとってはこの浮かぶコンサートホールによる音楽を届ける活動は人気の的となった。

カーンによるブードローの夢の実現「浮かぶコンサートホール」は、19世紀フランスの作家ジュール・ベルヌが描いた動く人工島の物語そのもので、動くコンサートホールも演奏家を載せて世界各国に向けて航海した。この浮かぶコンサートホールは全長60メートル、全幅12メートルほどの規模で、主要な浮体基礎部分はバージ（平底船）でつくられ、3基のディーゼルエンジンを備えていた。甲板の上部には3分割されたユニット状の部屋が乗載されており、船首側と船尾側の部屋はそれぞれ局面構成のステンレスの外装で覆われ、そこに通常の舷窓と比べ遥かに大きな特徴的な舷窓をもった居住区やアートギャラリー、小劇場が設けられた。中央部にはオーケストラが入る箱型の演奏会場が設けられた。この部分の屋根は音響反射板として機能するように設計され、2基の油圧シリンダーでステージ屋根がもち上がるようになっていた（2-19）。この船の姿は、船や艀のデザインとしては設計当時の時代性を帯びながらもかなり未来志向的なデザインが取り入れられていた。カーンの一連の建築作品を見るとこの当時はバングラデシュ・ダッカ首都大学・国家議事堂やインド経営大学、フィリップ・エクスター・アカデミー図書館などの設計において見られる壁一面に広がる円型の刳り抜き空間があるが、類似した舷窓がコンサートホール船にも用いられており、円型の開口部が連続的に繰り返し用いられた。

浮かぶコンサートホールは、演奏会のときは接岸した岸壁側に向かって箱型の演奏会場の舷側が大きく開きコンサートステージが現れる仕組みになっており、観客席は岸側に仮設で設けられた。カーンはこの浮かぶコンサートホールを設計するにあたり、各地に出向くための移動性とコンサートホールとしての機能性を重視した計画を立案したが、移動性を優先するならば船にコンサートホールを載せることで移動性能が高くなりバージ形態のものよりも目的地には早く到達することが可能になる。しかし、船の場合は喫水があるため水深が浅いと航行できなかったり、岸壁に接岸できないこともある。また、船の大きさにもよるが、船の舷側は接岸のときに岸壁よりも高くなる場合が多く、舷側が高いと接岸しても観客からは演奏風景や演奏者を見ることはほぼできなくなる。こうした浅水航行や接岸にかかわる問題を克服するため、まず、水深の浅い河川でも航行できるような喫水が浅く舷側の低いこと、および岸壁に接岸した後に演奏会を開いても演奏風景や演奏者の顔を見ることができる。こうしたことを考慮して平底のバージが採用された。

その後にこのホールは進水してからおよそ41年の間稼動してきたが、老朽化が進むことで活動を中止せざるを得なくなり、各港を転々とした後ニューヨークのふ頭に長らくの間係留されたまま放置されていた。そして、2017年にはルイジアナの造船所で廃船解体されることが決まり、まさに解体寸前のところで世界的なチェロ奏者ヨーヨー・マが「Save Louis Kahn's Concert Boat!」と、この浮かぶコンサートホールの救済を全米に呼びかけることで、忘却の彼方に追いやられていたホールは一挙に注目を集めることになった（2-20）。この呼びかけにより、ニューヨーク近郊の小さな町が保存に名乗りをあげたほか、大富豪や投資家、企業家なども次々に手をあげるほどに世論の関心が高まることで、廃船を免れて新たな所有者も見つかった。[13] 2018年8月にフロリダ州のオキチョビー湖パホーキマリーナが新たな係留場所となり保存されることになったが、[14] 2020年9月には再びペンシルベニアに移動されることになった。

Save Louis Kahn's Concert Boat!
Yo-Yo Ma
Unless it can find a new home, Louis Kahn's unique floating concert hall will soon be broken down to scrap in a Louisiana shipyard.

I read Martin Filler's sweeping survey of Louis Kahn's life and work ["A Mystic Monumentality," NYR, June 22] with great interest. Louis Kahn has been on my mind lately—not for the striking creations that testify to his decades as "America's master builder," so many of which I know and love, but for his brief tenure as a shipwright.

In the mid-1960s, conductor Robert Austin Boudreau—Kahn's friend and mine—commissioned Kahn to design a unique floating concert hall, one that would carry an orchestra up and down America's waterways in a grand celebration of the Bicentennial. Launched in 1976, the 195-foot Point Counterpoint II has travelled America's rivers, lakes, and intercoastal waterways; the Caribbean, Baltic, and Irish Seas; and the rivers of northern Europe. Anchoring in large cities and small towns, in busy shipping lanes and at public parks, the barge opens like a clamshell to reveal a glittering concert stage.

Audiences on shore delight in the music, much of it specially composed for Maestro Boudreau and his American Wind Symphony Orchestra.

While Point Counterpoint II might lack the solidity and repose that Martin Filler so eloquently attributes to Kahn's buildings, it is no less monumental: it sails as a powerful, living testament to American creativity and to the elemental role that culture plays in human life.
After five decades, Robert Boudreau (who just turned ninety) and his wife, Kathleen, have decided that they cannot keep running the barge. Despite their best efforts, they have not yet found a new guardian for it. Lacking an alternative, in late July, at the conclusion of the Orchestra's 2017 tour, this remarkable, mobile cultural institution will be broken down to scrap in a Louisiana shipyard.
At a time when our national conversation is so often focused on division, we can ill afford to condemn to the scrap heap such a vibrant ambassador for our national unity, so I humbly ask that your readers join Robert and me in finding a new home for Point Counterpoint II. Please share any suggestions with Robert and Kathleen at ××××@××××.

Yo-Yo Ma
Cambridge, Massachusetts

ルイス・カーンのコンサート船救済を訴える
ヨーヨー・マ
ルイス・カーンが設計した他に類をみない水上コンサートホールは、安住の地が見つからなければ、まもなくルイジアナ州の造船所で解体され、廃船となってしまいます。

ルイス・カーンの人生と仕事に関するマーティン・フィラーの詳細な調査「"A Mystic Monumentality," NYR, 6月22日」を非常に興味深く読みました。今とても気になっているのが、「アメリカの代表的な建築家」としての彼の数十年を物語る印象的な作品〜その多くが私の知っているものであり、大好きなものでもあるのですが〜ではなく、彼の船の建築家としての仕事です。

1960年代半ば、カーンと私の共通の友人である指揮者のロバート・オースティン・ブードローは、カーンに他に類をみない水上コンサートホールの設計を依頼しました。アメリカ建国200周年を記念して1976年に進水した全長約60メートルの「Point CounterpointⅡ世号」は、アメリカの河川、湖、海辺、カリブ海、バルト海、アイリッシュ海、そして北ヨーロッパの河川を旅してきました。大都市にも小さな町にも、また、交通量の多い航路にも穏やかな公園などにも停泊し、甲板の一部が貝殻のように開いて華やかなコンサートステージとなりました。

岸辺にいる聴衆は、アメリカン・ウィンド・シンフォニー・オーケストラとその指揮者ブードローとのために作曲された音楽を存分に楽しみました。

「Point CounterpointⅡ世号」は、フィラーの言うように、カーンの他の建築物に見られるような堅牢さや安らぎには欠けるかもしれません。しかし、それらに勝るとも劣らない記念碑的な作品であり、アメリカの創造性や人生における文化の意味を力強く体現しながら航行していました。

しかし、50年の時を経て、90歳になったロバート・ブードローと妻のキャスリーンは、この船を維持し続けることは難しいと判断しました。懸命な努力にもかかわらず、引き取り手も見つかりません。このオーケストラの2017年のツアーが終了する7月下旬に、比類なき移動式文化施設であるこの船は、ルイジアナ州の造船所で廃船として解体されることになります。

世界の分断がしばしば問題になる今、国の結束を高める役割を果たしてきた活気のあるアンバサダーをスクラップにしてしまうわけにはいきません。読者の皆様には、ロバートと私と一緒に「Point Counterpoint Ⅱ世号」の安住の地を探していただくよう、心からお願い申し上げます。何かご提案がありましたら、ブードロー夫妻にご連絡ください（原文には連絡先のメールアドレスが記載されている)。

ヨーヨー・マ
マサチューセッツ州ケンブリッジ

2-20 「The New York Review」に投稿されたヨーヨー・マの救済の訴え「ルイス・カーンのコンサート船救済を訴える」 2017年に廃船寸前のところをヨーヨー・マがこの船の文化的価値を訴え救済された

2-3

コンクリートで船をつくる

（次ページ）
2-21 コンクリート船建造 ベトナム・ハノイ・ソンホン川でのコンクリート船建造。河川敷の砂洲の上で手作業で建造されるコンクリート船
2-22 コンクリート船建造 船形に編まれた鉄筋にコンクリートを手作業で塗り込む

船も時代や状況に応じて船体や船殻建造に使われる材料がより新しいものに変化している。一般的に小型船の船体は木造からＦＲＰ（Fiber-Reinforced Plastics：繊維強化プラスチック）へと変わり、大型船の場合は木造から鉄鋼にそれぞれ変わってきている。しかし、鉄鋼不足の時代にはコンクリートを使って船が建造された時期がある。特に戦時中の鉄鋼が不足した時期にはコンクリート船を建造する国が多かった。わが国でも戦時中にコンクリート船が建造された経緯があるが、あまり知られてはいない。その後、80年代前半にわが国でもヨットレースの最高峰アメリカズカップが注目の的となり、これに乗じてヨットの人気が高まった折、レース用のヨットの船体をコンクリートでつくることが一時的に流行った。

コンクリート船が建造された当初は、コンクリートでの造船経験のない造船技師に代わってコンクリートに馴染みの深い建築家や建築技術者らが設計や構造、施工面で協力することで、コンクリート船を建造してきた。今日でもロシア、中国、ベトナムなどではコンクリート船が数多く稼働している。コンクリート船は大きさにもよるが造船用ドックなどの専用施設が完備していなくとも容易に建造することが可能で、２０００年にベトナムのハノイにあるロンビエン橋を訪れ、橋脚の下から橋を見ようとソンホン川の河川敷に降りたとき、偶然にも近くの河川敷でコンクリート船を建造している現場に出くわしたことがある。見れば、河川敷の川原の砂洲を掘り下げただけの簡素な建造現場で、コンクリート船は建造？ されていたが、よく見ると砂地の上に船の形に編み込まれた鉄筋が据えられているだけで、これにセメントモルタルを塗り込む作業が黙々と行われており、土壁を塗る左官工事のようにも見え、必ずしも

高い精度がなくともコンクリート船は容易に建造することができるような印象を受けた。こうして建造されたコンクリート船は荷船やタンカーなど用途はいろいろあるようで、丁度、建造現場の横を曳船が何隻かの荷船を連ねて航行している姿が見えた。ベトナム戦争は1975年に終結し25年ほどを経過していたが、その後遺症としての鉄鋼不足と高い技術を必ずしも要しないコンクリート船は物資輸送のために身近な場所で建造されており活躍していた[15]（2-21・2-22・2-23）。

庭師ランボーからはじまるコンクリート船

コンクリート船の歴史を振り返って見ると、その歴史は案外古く1848年にフランス人の庭師ジョセフ・ルイ・ランボーが、金網と薄いセメントモルタルで固めた植木鉢からヒントを得て、同じ方法でさらに鉄筋を加えることにより強度を増すことを考案し、その技術を使ってより大きなフェロセメントボートを建造したのがフェロセメントのそもそものはじまりとされる。この当時は金網を編むことが難しかったため、金網を鉄筋に換えていたが、これが今日の鉄筋コンクリートのはじまりともなった。ここでセメントとコンクリート、モルタルの違いについて触れておくと、「セメント」は通常コンクリートやモルタルの主原料として使用されるポルトランドセメントを指す。そして、「コンクリート」はセメントに砂・砂利・水を調合して混ぜ合わせて固めたもの、「モルタル」はセメントと砂と水を混ぜ合わせたものを指す。

ランボーが考案したこのフェロセメントボートは1855年の第1回のパリ万国博覧会に出展され、人気を博しその後のフェロセメントボートの普及に大きく貢献する

2-23　**コンクリートで建造された輸送船**　ソンホン川を行く輸送船は船体が沈むほどに荷を積載して航行している

ことになった。このボートは現在フランスのBrignoles Museumに保存展示されている。

フェロセメントボートから発展することでコンクリートによる大型船の造船も盛んになった。特に第1次世界大戦前後まではコンクリートは、船をつくるときに船体の造型面での自由度の高さや耐久性の高さが認識されることで、新たな造船材料として注目されるようになった。丁度同じ頃鋼船も普及しはじめていたが、こちらの方がコンクリート船よりも数年早く建造がはじめられており、1821年にイギリスでは初の鉄船汽船が建造された。それ以降、船体の大型化や耐久性に優れていることから鋼船の建造が増加することになった。しかし、これには2つの問題がともなった。1つは鋼船普及により、鉄を溶かすための熱源として木炭が大量に使われ、それがために森林の伐採が進んだ。もう1つはこの森林伐採の影響が、それまでの造船材料として使われてきた木材の不足を招き、特に樫材の不足を促した。こうしたことで木造船に代わって鋼船が普及することになるが、1910年頃まではイギリスはじめドイツ、オランダ、イタリア、アメリカではプレジャーボートとしてコンクリートによるボートやヨットおよび内水面で使用されるバージが多数建造されていた。第1次世界大戦下になると今度は鉄鋼不足に陥り、大型輸送船やタンカーまでもがコンクリートで建造されるようになった。こうした時期を過ぎると今度はコンクリート船の建造が低迷期を迎えるようになるが、第2次世界大戦になると再び鉄鋼不足が起きることで、コンクリート船が脚光を浴び再び建造される船が増えた[16]。

ランボーによるフェロセメントボートの発明後、1887年にはオランダでもフェロセメントボートの類が建造されるようになったが、フェロセメント本来の考え方については、約1世紀の間忘却の彼方に押しやられていた。ようやく、1940年始めになりイタリアの建築家で構造家でもあり、ローマ大学教授でもあったピエール・ルイジ・ネルヴィが、フェロセメントの薄い板体が柔軟性、弾性、強度に優れていることを実験により証明することでフェロセメントを復活に導いた。そして、1945年に建てられたローマの倉庫で具体化された。その後、47年のリヴォルノのイタリア海軍兵学校のプールの屋根や48年のトリノ博覧会の主展示場のシェル構造の屋根などに使用され、60年に開催されたローマオリンピックのための屋内競技場「パラロットマティカ」の観客席屋根にもフェロセメントが用いられた。

その一方で、ネルヴィはネルヴィ&バルトリという会社をもち、そこで1945年にフェロセメントの船殻をもつ165トンの帆船「イレーネ」をわずか3か月あまりで建造、同規模の木造船よりも5パーセント程度軽くつくることに成功し、費用も40パーセント削減した。このときつくられた船は進水後に2度の衝突事故にあったが、船体修復は簡単なモルタルの塗り込みで済んだ。翌1948年には20トンで船長12・5メートルの帆船「ネンネーレ」を建造し、同規模の木造船よりもフェロセメントの特性を生かすことで船殻を薄くし広い船内空間を確保した[17]。その後72年にはネルヴィ自身の家族用ボート「ジュゼッパ号」を建造するなど、フェロセメントの可能性が追求された。このボートは2002年にローマのトール・ベルガータ大学に寄付され大学構内に今も展示されている。

日本におけるコンクリート船

では、日本のコンクリート船の状況はどうなのか目を向けて見ると、1910(明治43)年に海軍技師から大阪市の技師に転身した小林泰蔵により大阪港の築港のための浚渫《しゅんせつ》土運搬船がフェロセメントで建造された後、第1次世界大戦に10~20トンほどの艀(バージ)が建造された。1918(大正7)年には東京高等工業学校(現・東京工業大学)の土井市松が第一源丸と命名したコンクリート船を建造し、翌18年には第二源丸を建造している。また、同じ時期に造船学者の末広恭二が三菱の創業者岩崎弥太郎の提案を受けて鉄筋コンクリートによる35トン積みの艀を建造した。本格的なコンクリート製の船舶は、被曳航油槽船と貨物船が建造されており、海軍省艦政本部、逓信省海務院その後1943（昭和18）年に改編された運輸通信省海運総局、関東軍がそれぞれ独自に建造した。

1942年末、戦況の拡大に伴う石油の消費に備え、南方からの石油輸送のための油槽船の増強を図るため、海軍省艦政本部の呉海軍工廠では円筒形の船体を水中に沈め曳航する鋼製被曳航油槽船が試作され、その曳航実験に成功することで増産が計画された。しかし、国内の造船用鋼材は極度に不足していたため、当初は計画されていなかったコンクリート製の油槽船を試作することになった。

白羽の矢が向けられたのは京都府の舞鶴海軍工廠で、ここではコンクリート船の建造のための材料の配合や構造などについて実験や研究が進められていた。それを担当していた林邦雄技術中佐に800トン級の被曳航油槽船をコンクリートで試作する任務が命じられた。設計は舞鶴海軍工廠が担い、建造は当時、海軍へ土木工事で協力を申し出ていた武智正次郎が引き受けることになり、林と相談の上で造船所開設の場所を探し、兵庫県曽根町の塩田跡地に造船工場を設けた。武智正次郎は大阪で浪速工務所を開業しており、自ら開発したコンクリートパイルの製造・施工を行っていた。その後、ここで1943（昭和18）年6月から11月までコンクリート製の被曳航油槽船の船体が建造された。ただ、この造船所では3隻を同時に建造できたが、艤装工事の設備はなかった。そのため、船体は岡山県玉野の三井造船玉野に曳航され艤装が行われた。この船はEC型戦時標準船と呼ばれ800総トンで全長64メートル、全幅10メートルほどであった。1944年6月に第一武智丸が竣工し、第二武智丸、第三武智丸と続き、第四武智丸は終戦後に進水（竣工）した。建造隻数には諸説あるが詳細は不明である。

海軍と同じコンクリート船は逓信省海務院が愛媛県松山市の三津浜造船所で建造した「第一国策丸」265トンがある。当初はガソリン油槽船として建造されたが建造途中で貨物船に改造された。1944年9月には戦況が厳しくなる中で、武智造船所以外の各地にあった造船所を使って大量のコンクリート船を建造する計画を海軍は立案した。その計画に則って建造された船の中には潜水艦によって曳航される半没水式の油槽船もあったが、戦況の悪化により油槽船として実用されることはなく、各地の港において貯蔵タンクとして代用された。

戦後になり第一武智丸は呉市警固屋付近の海域に長らく放置され、第二武智丸は大阪商船が払い下げを受けたが、しばらくして廃船となり大阪港に放置されていた。こうした放置されたり、廃船という末路を迎えたコンクリート船ではあったが、第二の人生が待っていた。

終戦直後は、全国どこの漁港も疲弊していたが、広島県呉市の安浦漁港(2-24・2-25)は特に悲惨で漁港とは名ばかりで基本施設としての防波堤は設置されておらず、船溜まりに停泊中の漁船は常に台風による高波などの被害にあっていた。そのため、防波堤の設置が毎年陳情されており県では設置のための検討を行っていた。しかし、漁港の位置する海底地盤があまりにも軟弱であったため、当時の建設技術では費用が膨大に膨れ上がることがわかり、県は防波堤整備に対して難色を示していた。そこで考え出された妙案が防波堤設置の代替案として廃船となったコンクリート船を2隻防波堤に転用するというものであった。

1947(昭和22)年に県は大蔵省から2隻の払い下げを受けた後、1949年から基礎工事をはじめた。まず、海底に粗朶沈床0・9メートル、置換砂0・6メートルが敷かれ、そこに2隻のコンクリート船が沈設設置された。スクリューシャフトが抜かれ、船体底部に穴があけられ海水を入れることで沈設された。工事は1950年2月に完了し安浦漁港は基本施設の整った漁港となった。[18]

この2隻のコンクリート船以外にも広島県音戸町の坪井漁港には油槽船が1953年にやはり防波堤として沈設された。また、山口県笹戸島には船体の前半分が失われたものが浅瀬に沈座している。コンクリート船を防波堤に再利用することは世界中で行われており、アメリカやカナダでも戦時中に使われた輸送船が廃船後に再利用されて港湾の防波堤として使われている。

物資の統制が厳しさを増した1940年頃、満州の大連の凌水屯《りょうすいとん》には南満州鉄道(満鉄)の沿線付属地を守備していた

2-24　安浦漁港のコンクリート船　大戦時に建造されたコンクリート船２隻を再利用した漁港の堤防。手前が第一武智丸で、奥が第二武智丸。世界的な傾向としてコンクリート船の再利用による堤防は多い

2-25　安浦漁港のコンクリート船　船倉に海水を入れて自重により沈座し堤防として使われている

関東都督府の陸軍部隊を前身とする関東軍が駐留していたが、ここでも戦局が厳しくなる中で物資輸送のための輸送船を陸軍独自で確保するため、関東軍経理部長吉野好武《よしのよしたけ》主計中将はコンクリート船建造を独自に決断し、そのための調査・企画・計画・実施を部下の馬場知己《ばばともみ》が行った。ともに京都大学建築学科卒業の先輩後輩であった。[19]

この計画は文献探しから開始され、当時京都大学建築学教室に唯一あったドイツ語の「Eisenbetonschif-bau」という第1次世界大戦のドイツのコンクリート船建造が記録された文献を参考にして進められた。また、京都大学の建築分野でコンクリートを専門とする教授の坂静雄《ばんしずお》と棚橋諒《たなはしりょう》の2人が日本から頻繁に訪れるとともに、満州国大陸科学院に開設された日本大学・東京大学・京都大学による建築研究室の小野薫《おのかおる》研究官（日本大学）を中心に、森徹《もりとおる》（東京大学）、前田《まえだ》敏男《としお》（京都大学）の2名が副研究官に齋藤謙次《さいとうけんじ》（日本大学）が副研究官待遇で加わりコンクリート船の完成が急がれた。なお、このドイツ語の翻訳は当時大陸科学院の研究士であった日本大学卒業の加藤渉《かとうわたる》に任された。コンクリート船の建造は渤海湾にそそぐ遼河の河口にある軍港都市営口で行われることになり、そのためのドック建造が満州清水組（現・清水建設）の責任者黒岩正夫《くろいわまさお》に託されるとともにコンクリート船の打設にも同社社員が協力することになった。１９４２年9月頃から建造がはじまり、船体の厚さは10センチメートルで配筋には結束鉄線は使用されず、全て電気溶接が施された。使われる砂利も粒のそろった丸みのある細かいものが使われた。船体となるコンクリートは漏水を防ぐための防水材は使われることなく、型枠の両面から小槌で叩きながら少しずつ打ち込む緻密なコンクリート打ちが要求された。そのため、少年建築隊や中国の高校生が現場にテントを張って寝泊りしながら連日徹夜での作業が続けられた。[20] そして、翌１９４３年には５００トン、全長39・2メートル、全幅8・8メートルの試作船の建造は完了した。しかし艤装前だったために大連に回航中に沈没するという不運に見舞われた（2−26・2−27）。

ただし、コンクリート船建造自体は成功したため、２０００トンの輸送船を年間50隻量産する計画が進められることになり、造船部隊が編成された。その隊長には関東軍司令部の経理部に配属されていた京都大学出身の小山武《こやまたけし》技術中尉が任命され、副隊長には同期の梶山知己《かじやまともみ》と2年後輩の足立孝《あだちたかし》の両少尉がそれぞれ任命された。また、隊の運営のために特に選

2-26　コンクリート船の進水　コンクリート船の打設工事は、船体を上下逆さで甲板を下にして行われた。そのままの状態でドックから海に出された。あらかじめ船内の4分の1程度の部分に隔壁を立てそこに注水することで、自重で船体を回転させて甲板を上向きにした（出典：福島三七治『港湾特論』修教社、1951）

び抜かれた5名の若手隊員もやはり大学工学部建築学科出身者で構成されていた。計画は京都大学出身の増田友也《ますだともや》、構造は日本大学出身の加藤渉、材料は同じく日本大学出身の増田文雄《ますだふみお》、施工は渡辺、溶接は池田と担当は分けられたが、顔ぶれを見ると造船などの船舶技術の関係者は1人もおらず、全て建築出身者で固められていた。

1945年初めには2隻のコンクリート船の躯体が進水した。コンクリート船は改D25型輸送船と呼ばれ全長130メートル、全幅20メートル、外殻10センチメートルほどの厚さをもつ大型船であった。これらの構造計算では試作船は齋藤謙次が担ったが、後の2隻は加藤が担当した。当初はシェル構造を用いることで船体の外殻を薄くすることが検討された。しかし、当時の満州での施工技術ではシェルの施工は難しく、船体だけは造船会社で現地に進出していた川南造船（当時日本で建造量一番の造船会社）に委ねられた。進水した船は船尾にエンジンや操舵室が置かれ、前部を荷物の積載室とした。ただ、この重量配分だと空荷のときは舳先が軽いために浮き上がってしまい、その防止用に1メートル角のコンクリート塊を数十個積み込みバランスが取られた。しかし、自重があるために波による動揺はほとんどなく極めて安定した船体であった。この船は巡航速度で13ノット程度を出すことができたため、敵の潜水艦に発見されても魚雷から逃れることができ、万一敵艦に遭遇してもコンクリート船の強固さを生かして捨て身で相手にぶつかることなども想定されていた。この頃は鉄鋼船の設計規則はあったが、コンクリート船の規則はなく、断面鉄筋量とコンクリート量についての計算は手探り状態で行われたという。建造されたコンクリート船は2隻あったが、うち1隻は回航されて満潮時にドック入りする際、船底がドック入口部にあたり船体中

2-27 営口で試作されたコンクリート船 この後艤装のため大連に回航中沈没した（出典：前掲『港湾特論』）

央部から真っ二つに折れてしまい、もう1隻はソ連軍に没収されたという。[21][22]

その後、計画を担当した増田友也はシベリア抑留を経て母校の京都大学に戻り、教鞭を取る傍らアトリエを構え、建築家としての設計活動を展開し数多くの作品を残しているが、鳴門市には集中的に多くの建築作品が残されている。一方、構造を担当していた加藤渉も母校の日本大学に戻り、教鞭を取りながら設計事務所や土質調査事務所などを構え精力的に建築作品をつくった。１９５９年神田駿河台に新校舎を建てる際、建物の基礎構造を担当し、円筒シェルを基礎に用いるという世界的にも珍しい試みに挑戦した。駿河台の地盤は地耐力が不安定なため、加藤の脳裏には長年焼き付いていた「土は水なりと心得よ」の言葉に従い、海にコンクリート船を浮かべたときの経験を生かすことで、不安定な地盤には建物を浮かべるという考え方がひらめき、基礎をシェル構造にすることで難題を乗り切った。同じようなシェル基礎を用いたものは加藤の調べではすでにフランスやメキシコ、キューバではつくられてきていた。日大の校舎は、２０１８年夏に役目を終えて解体された（2-28）。

コルビュジェや前川國男がかかわった船

建築界の巨匠コルビュジェもコンクリート船にかかわりをもつ建築家の１人である。コルビュジェの場合、船を設計したのではなく改修を行っている。正確には石炭運搬船の船倉を難民収容のための居室に改修することで救援船にした。この船は現在もフランス・パリを流れるセーヌ河の河畔に係留されており、船名を「ルイーズ・カトリーヌ号」（2-29）、別名「Asile Flottant（浮かぶ避難所）」と名付けられている。こ

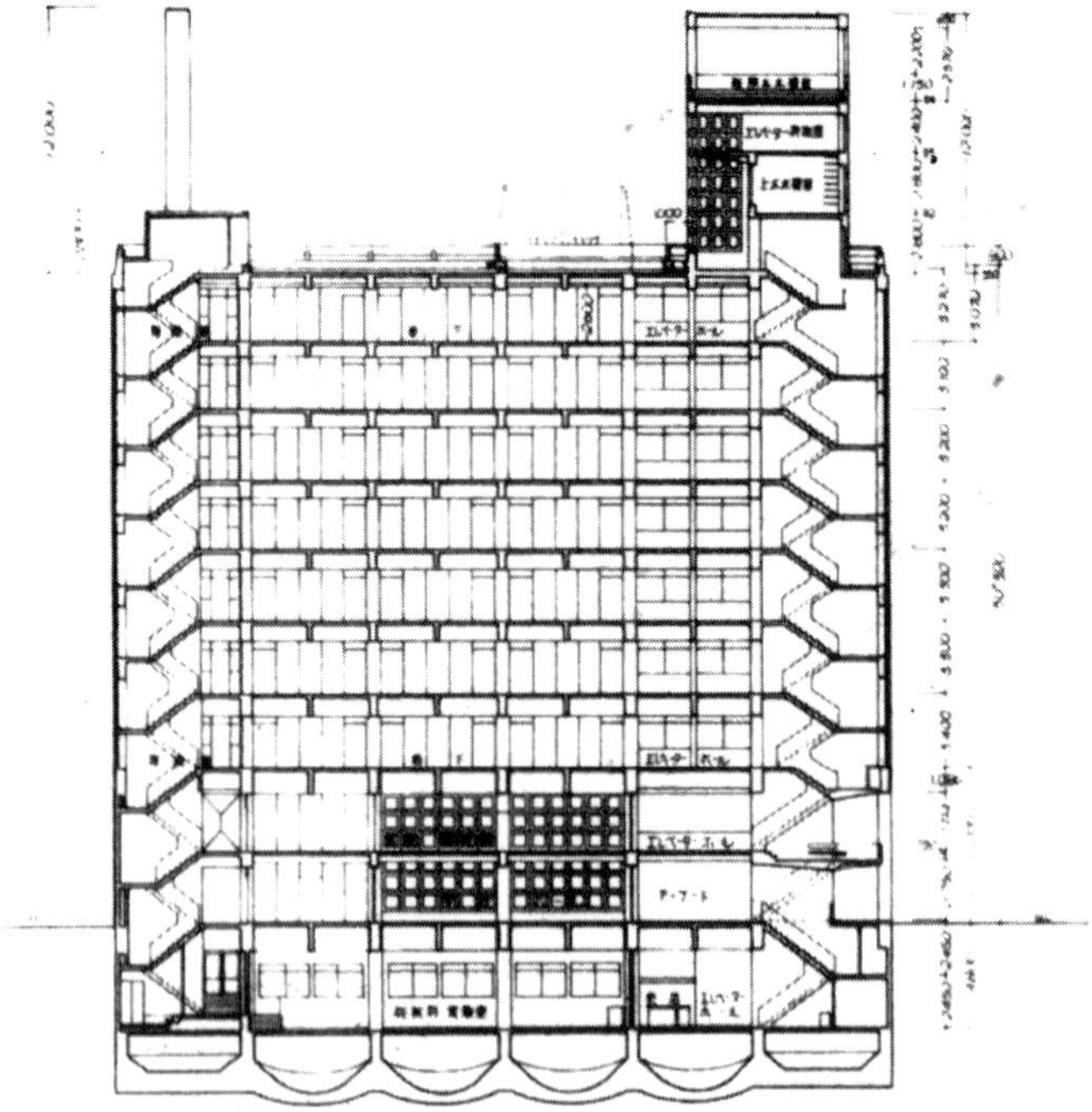

2-28　日本大学理工学部5号館校舎　加藤渉は不安定な軟弱地盤に対してコンクリート船建造に携わった経験を生かし、基礎部分にシェル構造を用いた（出典：「新建築」34巻11号、1959）

の全長78メートルあるコンクリート船はオーステルリッツ駅の前を流れるセーヌ川の河岸に係留されたまま、すでに100年を経過している。

この船は1919年に石炭運搬船として建造され、当時は「リエージュ号」と命名されてセーヌ川の水上輸送に使われパリ～ルーアン間を航行していた。第1次世界大戦終結後、1929年になりパリ北東部の街ルーアンの港に長らく放置されていたところをマドレーヌ・ジルハルト女史によって偶然見出された。彼女はこの船を世界救世軍に住む家を失った人々の救済のための収容施設として再生することを提案するとともに、合わせて改修資金の提供を申し出た。ただ、船名は彼女が遺産相続したルイーズ＝カトリーヌ・ブレスローの名を取り「ルイーズ・カトリーヌ号」とすることが付け加えられた。その後、世界救世軍はこの改修作業にあたり当時40歳であったコルビュジェを設計者として指名した。コルビュジェは設計にあたって、当時、事務所員として勤務していた前川國男を担当者としてその任にあたらせた。コ

2-29 Asile Flottant（浮かぶ避難所）後のルイーズ・カトリーヌ号 セーヌ川河岸に係留された船体は、風雨で劣化が目立つ

ルビュジェは丁度「近代建築の5原則、3法則」を発表し、サヴォア邸の設計を行っていた時期でもあった（2－30）。改修は石炭運搬用の3区画に分けられた深い船倉に屋根を付けて船室をつくり出し、この区画に合計128床の2段ベッドを配し、中央に36席の食事スペースを設け、トイレ、シャワーは各区画ごとに設けられた。屋根部分は屋上庭園とする計画があったが実現していない。この屋根の下の深い船倉部分が居室となるために水平連続窓を左右に取り付けることで光が部屋の隅々まで届き、明るい居室となるようにした。通常の船の設計では丸窓が取り付けられたであろうが、コルビュジェはあえて矩形の木製枠の水平連続窓とすることで建築家としての主張を盛り込んだものと思われる。この船は改修が完了した後、1994年頃まで救援船として活躍していたが、1995年のセーヌ川の増水によって船内が浸水することで船体の痛みが酷くなり、廃船も止むなきの憂き目に曝されたところを2006年にル

2-30 サヴォア邸 コルビュジェが近代建築の５原則（ピロティ･屋上庭園･自由な平面･自由な立面･水平連続窓）を具体化した建築

イーズ・カトリーヌ財団が買い取り修復を進めた。その後、２０１８年にも同じくセーヌ川の増水により再び浸水した。2度におよぶ不幸な出来事に遭遇したが、現在、日本人の建築家遠藤秀平《えんどうしゅうへい》を中心に再生計画が進められている。[23,24]

なお、この船の係留されているセーヌ川には２０１６年に最新の「FLOATING HOTEL」が開業し、隣にはラウンジ船が係留され、夜ともなれば多くの客で賑わいを見せる。また、対岸にはやはり最新の精神疾患患者を収容する船が夏場に限り停泊して開業する。セーヌ川は背後の街と連続した使われ方がなされているが、それを可能にしているのが各種機能を担う船や艀、そしてそれらから発展した川面に浮かぶホテルや病院、公園などである。こうした船から艀へ、そして浮体式基盤への発展過程を見ると、日本の広島から出てきた牡蠣船の発展過程との類似性を感じざるを得ない。

第3章

清盛と海と建築

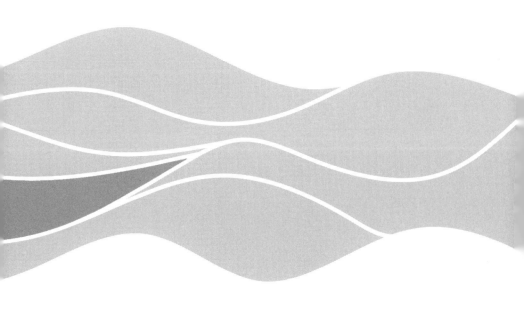

3-1

海と厳島神社

厳島神社は、瀬戸内海の西端の安芸灘に点在する島嶼群の中に位置する厳島に立地する神社である。神社のある厳島は通称「宮島」とも呼ばれているが、それは島の海岸線周りに、お宮が多数祀られているためで、いつ頃からか宮島と呼ばれる方が一般的になり、対岸の電車の駅やフェリー乗り場も宮島口の名称が使われている。この島の北西側にある小さな入江の奥の海の上に厳島神社は建立されている。今日、世界に類を見ない海の上に祀られた社殿は世界遺産として登録されている。

この朱色に輝く海に浮かぶ美しい社殿を見て、参拝客は誰もが感激をひとしお感じることと思う。でも、なぜ海の上に神社があるのか、どうして海の上に社殿が立っているのか、ここを訪れる老若男女の参拝客は訪れる度に誰もがこんな素朴な疑問を抱きながら参拝しているのではないだろうか。

これを建てたとされる平清盛《たいらのきよもり》はなぜ陸地に建てなかったのか、なぜ小さな島にこんな大きな神社を建てたのか、場所が島だから社殿を建てる土地がなかったのかなど、いろいろな疑問や妄想が頭の中を駆け巡り、それでもなぜ海の上にあるのか、波は被らないのか、沈まないのか、考え出すと疑問はどんどん膨らみ、参拝どころではないかもしれない。誰もが抱く疑問「なぜ、海の上？」。

その一方でSNSやパンフレットですでに馴染んだ神社の景色について、改めてこんな疑問は持たない世代もいるかもしれない「大昔から海の上にあった！」。

厳島神社は1200年ほど前につくられた海の上の神社ではあるが、今なお謎に思えることは多々あり、今日的な感覚で捉えても厳島神社への疑問符は減らない。こうした疑問が投げかけられる理由は、おそらく今日では人は陸の上に住み、陸の上で働くのが普通と考えるからで、海で働く漁師でさえもやはり住む場所は陸の上であり、決まりきったように陸に家を建てて生活している。そのため、なぜ海の上？　どうして海の上？　の疑問符が自噴井のように沸き上がってくる。翻ってタイ・バンコックの水上住居に住む人々に、なぜ水の上に住んでいるのと問いただしても多分明確な返事はもらうことができずに「昔から家はみんな水の上に立っていた」程度の返事が返ってくるような気がする。しかし、こんな具合に厳島神社も大昔から海の上に立っていたと簡単に片づける訳にはいかない。

厳島神社の建築的研究に挑んできた研究者や学者は少なからずおり、廻廊や建物配置の分析から、床下に潜り込んでの柱の形の拾い出しまで、蓄積されてきた貴重な研究成果は数多くある。ただし、海の上に立っていることへの疑問や謎については必ずしも十分な解明がなされてきたのかというとそうでもない。こうした疑問をこねくり回すことはせずに、厳島神社は海の上にあるといった現実や事実をそのまま受け入れている節が感じられる。そんなことよりも建築史的に見ての時代考証や建築様式に対して探求がなされたり、建築意匠から見た社殿の空間構成の探求の方が遥かに建築学的であり学術研究的なため、研究の興味や関心はもっぱら建築様式や建築材料、社殿の空間構成や幾多の災害やその都度なされた復元工事やその材料に向けられていて、この類の論文が学会などに報告されてきている。

その一方で、海の上に存在する上での建築的な疑問について応えている研究は非常に少なく、海との関係性はせいぜい廻廊に見られる波や潮位への対応に対する工夫の考察程度となっている。歴史や文化、信仰面からの研究に関しては平清盛の人物像に

3-1　**厳島神社**　海に浮かぶように見える全景

ついての史的関心や考究が多い。厳島神社に関する資料はほとんどが焼失してしまっているために、限られた範囲のものになりやすい。神社仏閣の社殿や寺院の建築に関する探究は、建築学の範疇《はんちゅう》に含まれるため、厳島神社に対する関心はもっぱら海面から上の建築空間に限られがちで、海面から下の部分の学問的探求については、海を扱う海洋工学や海洋土木分野となるが、今のところどちらの分野からも厳島神社の解明について触手は伸びていない。厳島神社への疑問や謎の解明に挑むためには学際的な分野からの接近や融合が要されることになる。

厳島神社ともう1つの海の上の神社

今更ながら海と関係の深い建築は何？　と問われたならば、多分、多くの人は広島県の厳島にある「厳島神社」（3-1）を思い浮かべると思う。この神社は社殿が海の上に立つという世界でも類を見ない珍しい建て方がされているため、誰もが一度この神社を目にすると、海の上にあるという珍しさから脳裏に焼きつけやすく、記憶にも残りやすい。この厳島神社をよく見ると、四面環海の小さな厳島の北西側の波静かな入江の奥に社殿が建立されている。

また、深緑に覆われた高い山を背後に抱え、朱に塗られた寝殿造《しんでんづくり》を模した様式の社殿は、全景を遮るものがない真っ平らな海に向かって建てられているため、風景として目に映る社殿は実際よりもなおいっそう厳かで畏敬に満ちた建物に見えてくる。

厳島詣でが江戸時代には庶民の間で流行ったが、参拝するためにはわざわざ舟に乗り大野瀬戸と呼ばれる海峡を越えねばならないという手間がかかる。こうしたことが信仰心を高めることに一役かっている。この瀬戸は対岸と島の間が狭いところで300メートル程度しかないが、宮島口から厳島神社でも約2キロメートルほどの距離しか離れていない。参拝のために舟に乗るという行為は他の神社にはない厳島神社特有のもので、ある種の演出のようにも見えてくる。当時の舟は櫓や櫂で漕ぐために、この程度の距離でも時間を要しただろうし、庶民は海での泳ぎを知らないため、恐らく小さな舟の縁をしっかりと摑んだり、しがみついたりしての渡船であったものと思われる。そのため、海を渡り終えて朱塗の大鳥居をくぐり抜けてからの厳島への上陸の第一歩は感慨深い想いに浸ったことだろう。ちなみに、海での泳ぎがわが国で普及するのは明治中期以降になってからである。

こうして厳島神社は、島特有の孤立性、隔絶性、遠隔性と厳島ならではの伝承や風習などが寄与することで、なおいっそう深淵で神秘的なものとなり、さらに、海の上に立つといった場所性や空間性および演出性が、神社としての神聖さを増幅加味し、社殿の色合いや形態がもたらす格式や壮麗さとも相まって、人々の心を摑み、引き付けることで厳島神社に対する信仰心をより深いものにしてきた。

厳島神社は、単に海の上にある神社としての稀代《きだい》だけではなく、その存在を知らしめる（印象を焼き付ける）ために、十分に計算されつくした意図的な工夫や取り組みが施された賜物であり、その存在価値を高めるために、わざわざ過酷な条件の海の上が選ばれて建てられてきたようにも受け取れる。こうした穿った見方をしなければ、あるいは建立場所や立地条件を見る限り、偶然にも島や海の上といった特殊性や特異な場所性が揃うことによって生み出されてきたものと捉える

3-2　亀石神社　岡山県の水門湾に面して海上に建立されている。厳島神社と比べはるかに小さな社であるが、海に建立された神社

3-3　亀石神社の海に立つ拝殿　水門湾に突き出すように建立された海上の拝殿

こともできるが、いずれにせよ、あまたな興味や関心が散りばめられた稀有な建築であることは間違いない。

ここで1つ付け加えておくと、実は瀬戸内海には厳島神社のほかに、海の上に建立されている神社がもう1つあることを記しておきたい。それは、鳥居が海の中に立っているということではなく、社殿そのものが海の上に建立されている神社である。その神社は、瀬戸内海に面する岡山県の児島湾の中の水門湾に流れ込む千町川河口近くの海浜にある「亀石《かめいわ》神社」（3‐2‐3‐3）である。

この神社は、建立されている場所が民家に囲まれたごくごく小さな猫の額ほどの砂浜にあるため、神社を探しても見落としてしまうほどにこぢんまりしたものである。

ただし、この神社の創建は古く、1680年頃とされる。神社には社務所や社殿などはなく、境内の範囲も明確にはなっていない。この神社は道路側に鳥居が設けられ、そこから海側に向かって右手に長床《ながどこ》形式の拝殿が置かれ、その前面の砂浜に石祠《せきし》の小さな祠《ほこら》が建立され、御神体としての「亀石」が海を向いて祀られている。祠の左右には石灯籠と石柱が立てられている。これらは砂浜海岸の波打ち際に海を向いて立っているために、満潮時になると拝殿や御神体のある祠は全て海の中に浸かってしまう。そのため、厳島神社の社殿と同様の海に浮かぶような様相を見せるのは高床形式の拝殿だけであるが、拝殿の床下に潮が満ち海面となったときの様相は厳島神社と全く同じである。

厳島神社と比べれば、亀石神社は建物の規模は何百分の1程度にしかならないが、この神社は神武天皇の東征にまつわる伝説や言い伝えが残されている。毎年6月には、海上を舞台にして、提灯《ちょうちん》を華やかに飾り付け、笛や太鼓、鐘などを演奏しながら、賑やかに水門湾内を巡回する「しゃぎり船」により五穀豊穣を祈る満潮祭が華やかに執り行われる由緒ある神社である。[1]

こうした厳島神社や亀石神社のように高床形式を取り入れて、海の上に立つ建物は、瀬戸内海の沿岸部では思いのほか多く、特に島嶼部では多く見ることができ、建物と海との関係性は他の地域と比べると比較的親密なものといえる。

世界遺産としての厳島神社

厳島神社は、１９９６（平成8）年にメキシコで開かれた第20回ユネスコ世界遺産委員会において、同じ広島県の原爆ドームとともに世界文化遺産に登録された。

厳島神社が世界文化遺産に登録された理由は、広島県廿日市市環境産業部観光課のホームページを見ると次のように述べられている。ユネスコが定めている世界文化遺産としての価値基準は6項目あり、文化遺産に認定されるためには以下のうち1項目以上が当てはまらなければならない。「1・創造的な才能が生んだ傑作。2・建築や芸術、都市の構成や景観の発展において、ある時代や地域における人類の文化的交流の形跡を示すもの。3・ある文化的な伝統や文明の貴重な証拠となるもの。4・歴史上の有意義な時代を示す優れた建造物や建築物群、景観の例。5・ある文化を代表する伝統的集落や土地利用の典型的な例で、消滅の危機にあるもの。6・世界的に著名な事件・伝統・思想・信仰・芸術作品・文化作品と密接に関係するもの。」厳島神社はこのうちの4項目を満たしている。

厳島神社は、「①厳島神社は12世紀に時の権力者である平清盛の造営によって現在みられる壮麗な社殿群の基本が形成されました。この社殿群の構成は、平安時代の寝殿造の様式を取り入れた優れた建築景観をなしています。また、海上に立地し、背景の山容と一体となった景観は他に比類がなく、平清盛の卓越した発想によるものであり、彼の業績を示す平安時代の代表的な資産のひとつです（該当する価値基準1）。②厳島神社の社殿群は、自然を崇拝して山などを御神体として祀り、遥拝所をその麓に設置した日本における社殿建築の発展の一般的な形式のひとつです。周囲の環境と一体となった建造物群の景観は、その後の日本人の美意識の一基準となった作品であり、日本に現存する社殿群の中でも唯一無二のもので、日本人の精神文化を理解する上で重要な資産となっています（同じく価値基準2）。③日本に現存する社殿建築の中でも造営当時の様式をよく残し、度重なる再建にもかかわらず、平安時代創建当初の建造物の面影を現在に伝える希有な例です。また、平安時代の寝殿造の様式を山と海との境界を利用して実現させた点で個性的で、古い形態の社殿群を知る上で重要な見本です（同じく価値基準4）。④厳島神社は、日本の風土に根ざした宗教である神道の施設であり、仏教との混交と分離の歴史を示す文化資産として、日本の宗教的空間の特質を理解する上で重要な根拠となるものです（価値基準6）」。以上の項目が評価されることで世界文化遺産の登録が認められた。加えて、「世界遺産として登録された区域は、社殿を中心とする厳島神社と、前面の海および背後の弥山原始林（天然記念物）の森林を含む区域の431・2ヘクタールです。厳島全島の約14パーセントを占める広い範囲にわたっています。厳島神社は、弥山を中心に深々とした緑に覆われた山容を背景として、海上に鮮やかな朱塗りの本社本殿・大鳥居などの社殿群を展開するという、世界でも例をみない大きな構想の下に独特の景観を作り出しています。登録された遺産のうち、厳島神社の本社本殿・幣殿・拝殿など17棟・大鳥居・五重塔・多宝塔3基からなる建造物群は、6棟が国宝、11棟・3基が重要文化財に指定されています。そして、バッファゾーン（緩衝地帯）は、「厳島全島」および「宮島町字長浜小名切り突角より同町大字大西町水晶山北部突角を見通す線内の海面」の範囲から、遺産範囲を除いた地域です。」とホームページには記されている。[2]

厳島神社の参拝客（宮島来島者）の統計は1964（昭和39）年から集計が始められているが、その集計結果を見ると、当初は210万人ほどの参拝者であった。それが年々右肩上がりにその数を増やしていき、2017年には450万人を超えるようになり、約50年間で2倍を超す参拝者が訪れるようになった。ただ、世界文化遺産へ登録された1996年は297万9698人、翌年は311万9065人で、登録による知名度向上や関心の高まりは数字の上からはさほど顕著な増加を見ることはできず、2007年あたりまでは逆に登録以前の参拝客数に減少している。参拝客が増加傾向に転じたのは2008年以降からで、拍車をかけたのは2012年のNHK大河ドラマ「平清盛」の放映であり、その効果は絶大で放映と同時に客足はぐんぐん増えていき、ついには400万人をゆうに超えるまでとなり、今日の参拝者数につながるきっかけとなった。

厳島神社への接近

世界文化遺産に登録された厳島神社は、対岸側となる本州側の宮島口からも大鳥居や社殿の美しい姿を望むことができる。この社殿は春日大社や伊勢神宮の内宮と外宮を合わせた面積よりもさらに大きく、日本一の規模を誇るものとされている。しかしながら、参拝客は海の上にあることや背後にある山の高さによってその規模感が希薄化されてしまい、社殿の大きさを感じ取る前に社殿周りの海面に目が奪われ、海の上に立っていることに感激したり、感心させられてしまうため、ここを訪れる参拝者は建物の大きさに対して感じるはずの驚きを忘れ去っているような気がする。

対岸からでも社殿の存在を認識できるということは、やはり社殿の規模面積が大きいことの証である。対岸の宮島口からフェリー（宮島口から宮島間のフェリー航路は1・8キロメートル）に乗り島に近づくと、まず海の上に立つ色鮮やかな朱塗の大鳥居が目に入り、その奥に、やはり朱塗の柱と真っ白な壁面をもつ右門・左門の客神社や海に突き出した火焼前《ひたさき》と呼ばれる突き出した床が見える。次いで、祓殿や拝殿と奥の本社本殿および柱が立ち並ぶ廻廊や客神社社殿の檜皮葺《ひわだぶき》の屋根が重なり合うようにして見えることで、いっそう奥行き感のある重厚な建物の姿を見てとることができる。

社殿は、背後にそびえる山の緑を借景に、その緑を映し込むかのように広がる前面の海原が、そこに立つ大鳥居と社殿の鮮やかな朱の色とが相まって生み出す対比効果により、厳島神社の建築としての人工美をひときわ美しく引き立てている。

また、社殿は海面の水位が潮汐作用で変化することにより、その表情を刻々と変化させるが、満潮時に見せる海面上の社殿の姿は、悠久の昔から変わらずに今日においても見ることができ、ここを訪れる参拝客の多くが満潮時には、「建物が海面に浮かんでいるようだ」と呟く。

これまでこの海に浮かぶかのように見える厳島神社の社殿については、なぜ？　どうして海の上に建立されることになったのか、その謎や疑問に対しては、わずかばかりの研究者が興味の赴くままに取り組み、謎に挑んできた。しかしながら、その関心の向く矛先は、当然ながら島と神社と平清盛に向けられ、歴史や社会および文化系的には「厳島」の謂《いわ》れ（由緒）と信仰対象としての厳島のあり方や神社に祀られる「御神体」など諸々に向けられる一方、平清盛像や平家一族についての探求に関心が集まり、建築系では、歴史分野を中心にして寝殿造の神社のあり様や社殿の空間構成など、建築的な様式美に対して関心が向けられていた。

そのため、海の上に立つことそのものに対しては、なぜか関心が薄いように思われ、おおむね御神体としての島に神社を建立することを避けるために、海の上に建立されてきた程度の内容に終始している。

近年になり背後の河川やその流路の取りつき方、境内としての海浜のあり様、大鳥居の構造などについても研究成果が報告されてきているが、結果としては、概して平清盛が海の上に大造営した以降のことの解明となっている。

また、海の上になぜ社殿を建てなければならなかったのか、その疑問に対する回答は研究者がそれぞれの立場で解説しているため諸説ある。

なぜ諸説あるのかというと神社の創建後の史料が必ずしも残されている訳ではないため、さまざまな関連資料を収集し、そこから厳島神社やそれに関係する記述を読み解くことで論証を構築し、考察や推測がなされているからである。

そうした歴史、文化、人文、建築史などの各専門分野の研究者らにより明らかにされてきた厳島神社に関する先行研究の成果を踏まえながら、現在の厳島神社が建立される以前、①海の上に社殿は存在したのか、②なぜ海の上に社殿を建てることにしたのか、そして、③社殿を建てた最初の場所はどこなのか、④なぜ大造営を行う必要があったのか、⑤平清盛と佐伯景弘の役割など、特に海の上に建築を建てるために考慮が要される計画や技術についてはあまり触れられてこなかった。こうした点に特に注目しながら掘り下げていきたい。牽強付会的《けんきょうふかいてき》な捉え方と見る向きもあろうが、清盛や景弘の厳島神社とのかかわりに関する行動や関連した記述および同年代の歴史的な事項や経緯などを参考にして、大造営について考えてみることにする。

そのため、厳島神社イコール平清盛の大造営ではなく、平清盛以前の厳島の島としての位置づけや主祭神が祀られてきた経緯などについて触れながら、海の上に社殿が建てられることになったそもそもの由来や経緯にこだわり、建築として「敢えて」「図らずも」海に建てたことの意図や平清盛が目指した厳島神社建立への思いや取り組みに対して接近してみたい[345]。

3-2

厳島信仰と神社の創建

島と信仰

厳島神社が建立された島は、地名としては「厳島《いつくしま》」であるが、前述してきたように、島の海岸線には多数の神社が祀られていることから、通称「お宮（厳島神社）のある島」に由来して「宮島」と呼ばれるようになり、「安芸の宮島」は宮城県の松島、京都府の天橋立とともに、日本三景の1つに数えられ親しまれてきている。

島は瀬戸内海の西部にある広島湾の北西部に位置し、関西方面から続く瀬戸内海の終着部分にあたる。この瀬戸内海という呼び名については、江戸時代後期に海運が盛んになり弁財船（千石船）が行き交うようになってから、呼び名として確立されたもので、それ以前は今日のように全域を一体的に瀬戸内海として捉えられてはおらず、大きな灘や数多くの小さな瀬戸、海峡などが連なる多島海域として捉えられ認識されていた。

この瀬戸内海の西方の島嶼が散らばる多島海地帯の中にあって、厳島は標高の高い幾重にも連なる山々が異彩を放つ島影を見せる。島は弥山《みせん》（535メートル）を主峰として山々がそびえ立ち、山裾は急峻狭隘な地形をなし、海岸線部分をなす海浜は狭くごくわずかしか形成されておらず、周囲の島々と比べるとまるで海中から山がそびえたっているような風景を見せる（3-4）。

そのため、遥か対岸や海上を行き交う船の上からも島を望むことができるため、近在の漁師たちから、島は信仰対象として崇め奉られてきた。島の主峰の弥山の山頂には巨石群があり、磐座《いわくら》として尊ばれることで、古墳時代から山岳信仰がされてきた。後に山麓には大聖院や御堂が建立されることで、弥山はなおいっそう信仰の厚い山と

3-4 厳島の姿　海の中からそびえるように立つ山々

なっていった。

このように厳島そのものを信仰対象とする風習や山岳信仰は古くから執り行われてきており、この島を自然崇拝する風習や慣習、因習は瀬戸内海沿岸の広い範囲に伝搬していき、いつしか人々の間では、厳島は御神体とする信仰対象となり、伝承や継承されることで、次第に御神体としての島そのものに対して傷をつけてはならないとする習わしや風習が人々の間で定着するようになった。島内では不浄が嫌われ、樹木の枝を折ったり切り倒したり、鋤や鍬で農地を耕すことなども禁止されてきた。そのため、島には田畑は愚か墓地さえも見当たらない。それ故、この厳島そのものを信仰する信仰心が弥山の原生林を現在まで手つかずの自然として保護する原動力となってきた。

島の神格化に関しては、研究者によっては賛否両論あり諸説の展開がなされているようだが、前述したように厳島は地図を広げて海岸線に目を向けると、神社が等間隔で海岸に建立されていることが見てとれる。この海岸線延長は30キロメートルほどあり、ここに神社は厳島神社の末社で7つの浦に建立されているとされ、「七浦巡り」により巡拝される。

これらを厳島神社から時計廻りに海岸線を見てゆくと、まずは杉之浦にある杉之浦神社、次いで包ヶ浦にある包ヶ浦神社、鷹巣浦《たかのすうら》の鷹巣浦神社、腰少浦《こしぼそうら》の腰少浦神社、青海苔浦の青海苔浦神社、養父崎《やぶさき》の養父崎神社、山白浜の山白浜神社、須屋浦の須屋浦神社、御床浦《みとこうら》の御床神社、の9の神社が祀られており、その内、杉之浦神社、青海苔浦神社、須屋浦神社は海浜奥にあるため、海からは直接的には拝めないが、それ以外の神社は、わずかな幅の海浜の上に基壇が積み上げられていたり、磯浜の岩場の上

3-5　厳島神社扁額　大鳥居正面の扁額には厳島の文字が書かれている

3-6　厳島神社扁額　本殿側には伊都岐島の文字が書かれている

に祠は建立され、どれも海を向いている。これらの神社は厳島そのものを取り巻くように祀られているが、陸からは島内に道がないため、各神社を参拝することは難しく、七浦巡りには船が要されることになる。

一方、島への信仰心の厚い漁師たちは日常的に漁場に向かう途中で、船上から島を拝むことを習慣化してきた。この姿は、島に向いて拝む姿勢になるために、眼の前にある島の海岸に祀られた神社を拝んでいるようにも見えてしまうが、実は厳島への信仰心から島に向かって遥拝していることが多い。

こうした島に対する人々の信仰心から見て、厳島においては、島そのものへの信仰が、厳島神社の建立よりもかなり古い昔から行われてきていたと捉えることができる。この島が厳島と呼ばれるようになった経緯は、前述したように島そのものの様相に起因してもたらされてきたが、島が海からそそり立ち、人を寄せ付けない険しい景観を見せるが故に「霊験あらたか」な島として人々の信仰心を掻き立てるようにもなり、いつしか「神に斎《いつ》き（＝仕える）島」「神を斎き、祀る島」として信仰されることで、当て字が当てられ「伊都岐島《いつきしま》」（万葉仮名）と呼ばれるようになった。

こうした地形がもたらす神がかり的な神秘性が信仰心をあおり出してきている場所は、他の地域でも比較的多く見ることができる現象である。ちなみに、厳島神社の社殿の創建については、古代、周辺の沿岸島嶼部の住民が弥山を主峰とするこの島の山容に神霊を感じ、これを畏敬したことに始まると伝承されていた。

現在ある大鳥居の正面（海側）に掲げられた扁額《へんがく》には「厳島神社」と書かれており、背面側（本殿側）の扁額には「伊都岐島神社」と書き記されることで、こうした由来伝承を伝えている（3–5・3–6）。歴史的には『日本後紀』の811（弘仁2）年頃に「伊都岐島神」と書かれているのが神社名の最初のようだ。

海の上に建立された厳島神社

神社の創建は社伝によれば、593（推古天皇即位元年／飛鳥時代）年に社殿造営の神託を受けた当地の豪族佐伯鞍職《さえきくらもと》により、宗像三女神の市杵島姫命《いちきしまひめのみこと》を祀る社《やしろ》か祠を御笠浜《みかさはま》に創建したのが始まりとされる。その後、神社は佐伯鞍職が初代の神主となって以来、佐伯氏が代々神職を受け継いできている。ただし、この頃までは厳島神社とは呼ばれていなかった。市杵島姫命は、湍津姫命《たぎつひめのみこと》、田心姫命《たきりひめのみこと》を含めて宗像三女神と呼ばれ、素戔嗚尊《すさのおのみこと》の娘とされ、国家鎮護《こっかちんご》、航海安全（守護）、芸能上達などの神とされる。この市杵島や伊都岐島が訛《なま》ることで14世紀頃から「厳島」と書かれるようになり、厳島神社となったとされる説がある。

この宗像三女神を主祭神として有浦湾の中の御笠浜に祀ることについては諸説あるが、御笠浜（鳥井《とりい》の州《す》とも呼ばれた）に祀られた伝説は、ほぼどれも相通じるものである。ただし、その場所が浜のどのあたりに建立されていたのか、その場所や位置はこれまでのところ確認されていない。また、厳島神社の主祭神を祀るための建物あるいは神殿が社か祠かについても明らかではないが、「社」は神を祀る建物や場所とされ、「祠」は神を祀る小さな殿舎で、その語源は神道用語の「ほくら（神庫、宝倉）」の転訛とされる。このため、おそらくは御笠浜の前浜あたりに創建当時の神社は建立され、それは極めて小規模な祠で構成されていたものと思われる。

この祠を祀る場所として御笠浜が選ばれたのにはおそらく2つの理由からである。1つは御神体としての弥山の祭事の際、神籬《ひもろぎ》として臨時に神を迎えるための依《よ》り代《しろ》を据えるためには、有浦湾は、周囲を自然林が囲むために神籬を執り行うための神域を形成するには都合よく、砂浜は白い砂礫で覆われて神聖なけがれのない無垢な空間と見ることもできるため、最適な場所であった（今日の砂浜は漂着物などで若干汚れているが、元来は美しい砂浜であった。）（3–7）。もう1つは神のいつ

3-7　有浦湾の様子（出典：Googleマップ）

く神聖な島のため、島の中に人為的な祠を建立することは、はばかられてきていた。そのため、海の満ち潮と引き潮の作用によって砂浜が波間に現れ消える御笠浜に祠を建てることは、考え方によっては島の中にあることにはならないと解釈された。と理解することもできる。

こうした御笠浜の場所性に見る自然特性や空間特性、環境特性を生かすことにより、弥山の祭事に際して神籬の依り代を据えるには絶好の条件を備えた場所である。そのため、恒常的に使われることにより、常設的に祭壇が設けられるようになり、祭壇を風や波から保護するための上屋としての祠が設けられた。祠は、おそらく現在、厳島の海岸にある各神社の建て方と同じく、基壇が設けられその上に鎮座していた。

この頃の御笠浜のある有浦湾は、今日の地形とはかなり様相を異にしていた。湾には背後の山から流れる御霊川（現紅葉谷川）と瀧川（現白糸川）の2つの河川の河口部が湾奥の海岸線の東西に流れ込み、湾正面の海からは波が寄せてくる。このため、前後から土砂が堆積することになり、中洲が形成されて、それが御笠浜をつくり出した。また、現在の不明門あたりの地形を見ると小さいながらも海面との高低差は比較的高いことがわかり、ここが海浜部の後浜で大鳥居の立つ250メートルほど先が前浜とするならば、地形的には小さな河岸段丘を形成していたか、緩やかな傾斜の砂浜海岸であった。あるいは、現在の厳島神社の立つ範囲の砂浜を見回すと、堆積土砂をわずかに掘り返すことで海底を扁平に近い勾配に改良して社殿を建てやすいように改良したようにも見える。

こうしたことを考慮すると、神社の創建時にはなかった大鳥居の内側に祠は建てられた。また、このときの神社の祠は、当初は祭壇を保護する目的で設けられたが、祭壇は通常は直接的には地面におかれることはなく、棚か台座が設けられることからして、そこにおかれた祭壇を保護するように祠が据えられることで、脚の部分は満潮時には水の中になる。そのため、ときとして起きる時化《しけ》による波の影響をおそらくは被りやすかった。

このことは、『宮島町史資料編地誌紀行Ⅰ』（宮島町編・1992）の佐伯景弘《さえきかげひろ》が1168（仁安3）年に厳島神社の造営完成について記した「伊都岐島社神主佐伯景《いつきしましゃかんぬしさえきかげ》弘解《ひろげ》」（以下「景弘解」）の中に、「この社《やしろ》は昔から海浜に建ち波にあたって壊れやすい。社殿が破損したときは安芸国司と佐伯郡司が朝廷に上申し、修造を加える建前だったが、今回は社家の力が及び難いので、景弘の私力でことごとくつくり終えた。従来神殿以外は板葺であったのをこの度はすべて檜皮葺《ひわだぶき》に改め、社殿の間数《けんすう》を増し、新造し、また金銅金具で華麗荘厳とした。今後破損の時は負担が大きすぎるので、諸社修造の先例にならい、安芸守の重任遷任《ちょうにんせんにん》の功により修造するようにされたい。」と書き記している。このことからして、創建当時の神社は、島が禁足地という場所柄や神格化された島の風習などに配慮することで、神社は主祭神を祀る祠だけであったが、有浦湾の御笠浜の前浜の満潮時には床下は海面になり、波の影響も直接被りやすい場所に建立されていたものと推測できる。ただし、創建後、大造営が行われるまでのおよそ575年の間に御笠浜は土砂の堆積により姿かたちを変えたり、祠だけの神社から、拝殿などの付属舎を備えた社殿になっていたかについては不明である。

清盛の加護による財政支援を受けて大造営が行われた厳島神社については、この

「景弘解」の内容から察するならば、創建当時から600年あまり祠は海の上に建立され続けていたことになる。このため、景弘は大造営後も社殿が被る波や高潮の影響による破損修復が要されることを考慮することで、宣旨《せんじ》を下達することを朝廷に願い出ている。その願いとは、ここに記された内容からは過去にも被害を度々受け、その都度修築のために私財を供出してきたが、大造営後は豪華になった社殿の修築にはさらに多くの出資費用が求められることになるため、朝廷に資金援助を願いでた。このことから察して、景弘は、大造営後は必ずしも海の上に社殿があることについて、清盛ほどの強い思いはもち合わせてはいなかったと受け取ることもできる。むしろ、修造の心配がない陸域に社殿があることを望んでいたのではないだろうか。

ちなみに、今日の厳島神社のしおり付箋には、「宮島は昔から神の島と崇められていたので御社殿を海水のさしひきする所に建てたと言われている。」と記されている。

一方、この入江や浜については、神社を建立するために人為的につくられてきたとする説があるが、それは前述したように島の神格化や風習などからもたらされた島のあり様や捉え方が誇張されることによる逸話である。この砂浜の地下数メートル下には岩場が広がっており、その岩場の上に砂を敷き詰めることで創出されてきた海浜というものであるが、この場所は元来が2つの河川が流れ込んだ河口部のために、おそらくは河川からと海から運ばれる土砂が堆積することにより中洲は形成されてきたものと考える方が妥当である。

初代の神主佐伯鞍職により593年に創建された神社は、有浦湾の御笠浜に建立された主祭神の鎮座する祠と、厳島は島そのものが「神に斎き（いつき＝仕える）島」と

3-10 **地御前神社** 社殿の全面は海面で右側に水路が流れる（出典：岡田清編述・田中芳樹校正・山野峻峯斎画『藝州厳島図絵』1842）

（前ページ）
3-8 **地御前神社** 社殿周辺部まで埋め立てられた現在の様子
3-9 **地御前神社** 周辺部が埋め立てられる前の風景

して神格化され御神体として崇められることで、禁足地としても扱われてきていた。これらのことに配慮することで、鞍職は厳島神社を内宮（本宮）とすることにした。ただし、伊勢神宮などでは内宮と外宮ではそれぞれ祀っている主祭神が異なるが、厳島神社の場合は、同じである。このことを考えると通常の「内宮」としての捉え方ではなく、一般の参拝者が神社に近づくことは難しく、参拝するためには渡船が要されたが、島への渡船は、ときとして海が時化《しけ》ると、海を渡ることは困難になる。こうしたことから、島の外側に遠くから拝む遥拝《ようはい》の場所を設けることが必須条件であり、外宮を設けることが求められ、内宮とともに創建された。そのため、外宮には内宮と同じ宗像三女神が主祭神として祀られている。

では、この外宮はどこに創建されたのかというと、厳島神社の社殿正面側の大野瀬戸を挟む対岸側の宮島口には建立されずに、厳島神社の真北2キロメートルほどの本州側対岸に建立された。そして、この外宮は内宮の「前（御前）」に建立されたことから地御前神社《じごぜんじんじゃ》と命名された。

地御前神社の建立されている場所は、現在の廿日市市地御前である。創建当時は海浜に建立されていたが、今は地先海面が一面埋め立てられて幹線道路や鉄道線路が敷設されてしまったため、元から陸地に建てられていたようにも見えてしまう。しかしながら、創建当時は境内には19の神殿舎屋《しんでんしゃや》が建立された大きな神社であった（3-8・3-9）。

1838（天保9）年の『藝州厳島図絵』に掲載されている、地御前神社の絵図を見ると、本社拝殿の直前には海面が迫っており、床下は波に洗われる状態になってい

（前ページ）
3-11　地御前神社の柱　この柱だけ途中で切れているが、船を係留のためにやっていた跡が柱に刻み込まれている

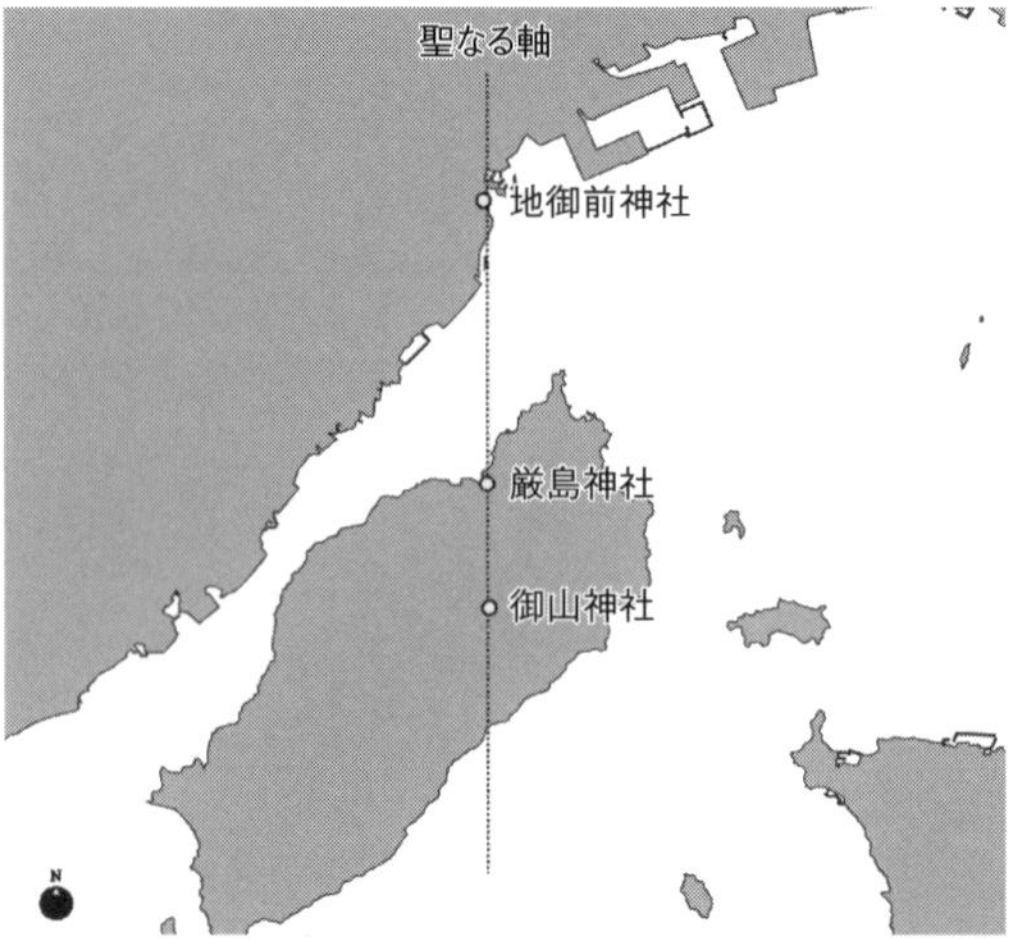

3-12　厳島神社を構成する3社　外宮の地御前神社と内宮の厳島神社、奥宮の御山神社の3社が一直線状に並ぶ（著者作成）

ることが見てとれる。また、絵図には拝殿の右の妻側の脇を川が流れ、前面は海となっている様子が描かれている（3-10）。この拝殿の右側の柱の中に1本だけ途中で切られた柱があるが、これは当時、船で参拝に来た参拝客の船を舫《もや》うために使われていたもので、その証しとして柱は舫いで若干磨り減っていることが見て取れる（3-11）。鎌倉時代までは、祭礼などの行事はすべてこの地御前神社で行われていた。

この厳島神社は、内宮としての厳島神社と外宮としての地御前神社および奥宮としての御山《みやま》神社の3社によって構成されているが、この三社は御山神社《みやまじんじゃ》から正確に真北方向、すなわち北極星に向けた「子の方位」に向く一直線上の軸線に見事に載るように建立されている（3-12）。この考え方は中国の陰陽道思想にも影響した北辰信仰に見る「子午軸（北南軸）」のよりどころとしての北極星や北斗七星に対する信仰によるものである。

日本にも伝来し奈良時代には天皇により北極星を祀る祭祀が行われるようになった。

こうした北辰信仰を背景にして、初代神主の佐伯鞍職は内宮から「子の方位」に外宮を建立した。また、奥宮については清盛が本宮の造営に合わせて弥山に弘法大師・空海が建立した御山神社を奥宮にしたとされているが、北辰信仰に則って位置を決めることで、三社は軸線上に並ぶ。こうした厳島神社の三社の建立に見る軸線に関しては、川本博之《かわもとひろゆき》の研究で考究されてきている。[67]

3-3 平清盛の大造営

清盛と景弘の役割

平清盛の名は、巷《ちまた》では平安時代末期に武将から初めて太政大臣《だじょうだいじん》になった人物として知られてきたが、最も名を馳《は》せたのは厳島神社の大造営とされている。この平清盛と厳島神社とのそもそもの関係のはじまりは平安時代末期の１１４６（久安２）年に清盛が安芸国（現在の広島県）の国守に任ぜられたことからであり、清盛の後も１１５８（保元３）年まで平氏一門が安芸国守を務めることで、安芸国との関係を深めていった。

清盛は１１５８年に大宰府（７世紀後半に九州の筑前国に設置された地方行政機関）の次官太政大臣に就任すると、日宋貿易の一切を取り仕切るようになった。また、１１５９（平治元）年の平治《へいじ》の乱《らん》で勝利したことをきっかけに権力を強大化させていき、１１６０（永暦元）年にはじめて厳島神社を参詣することで霊験あらたかとなり、その後、厳島神社を氏神として信仰し崇敬するようになり、平家一門の厳島神社への参詣が頻繁に行われるようになった。

清盛は一方で、村上水軍や河野水軍の動きを封じ込めることにより、瀬戸内海の制海権を握った。宋との交易の振興に力を注ぎ、宋の船が入港できる湊を開港するために、1162（応保2）年には、大輪田泊《おおわだとまり》の修築や開削をはじめたが、このときは全て失敗し、翌1163年に工事を再開したが、難工事が続いた。1164（長寛2）年には厳島神社に平家一門の32人とともに「平家納経」を奉納し、1167（仁安2）年に清盛は武士としてはじめて「太政大臣」に任じられたが直後に大病を患ったことから3か月あまりでその職を辞任してしまった。翌1168年には出家して福原（神戸市兵庫区）に山荘を構えることで、そこを拠点に日宋貿易の拡大に努めるようになった。

歴史上、平清盛が1168年に厳島神社の大造営を果たしたとされているが、このことは佐伯景弘の「伊都岐島社神主佐伯景弘解」に完成年月日1168年と記載されていたことによるもので、1164年にはすでに完成していたとする見方がある。

おおむね6年とも10年ともいわれる月日を費やして行われた大造営は、清盛が1160年に初参詣した翌年あたりから着手したものと考えられる。丁度同じ時期の1162年には大輪田泊の修築が行われはじめていたが、悪天候などの影響で工事は失敗した。この経験はおそらく厳島神社の大造営に生かされたであろう。それによって宿願でもあった厳島神社の大造営や修造を完了することができ、多くの社殿を有する壮麗で雅びな「極楽浄土を思わせる神社」を海の上に建立することができた。

では、なぜ大造営を行ったのか、それは、高野山の大塔を修理した際に厳島神社を奉斎すると一門が繁栄するとの啓示を受けたことが動機とされている。これを受けてはじめて参拝したとき、清盛の眼にはおそらく質素で些末な神社に映った。もともと、島にある神社は人々が容易に参拝することはできなかったことから、必ずしも社格が感じられるようなつくりではなく、当時の清盛の立場からすると参拝するには必ずしもふさわしい社格の神社ではなかった。小さな社殿は神殿の檜皮葺以外は全て板葺の質素なものであった。ただ、清盛を魅了し惹きつけてやまなかったのは、社殿ではなく、むしろ航海を守護する宗像三女神が祀られて海の上に建立された神社という、他のどこにもない、唯一無二の存在感、異質性や特異性、斬新さであった。そのため、海の上に立つという場所性をそのまま温存して、社殿を一新することで人心を引き付けるような社格が感じられる社殿の構成をもつ神社にするため、本殿に幣殿《へいでん》や拝殿、祓殿などを設けた大掛かりな様相替えを施すことを考えて大造営を行う決断を下した。そのことが清盛の当時の立場をより強力なものにすることにつながると考えた。

この稀に見る大造営は、神主の佐伯景弘と清盛の2人の存在があってはじめてなし得ることができたと思われ、どちらか1人が欠けていたとしたら実現することは困難であった。おおむね従来までの説では清盛の財力が景弘の修築を支援することで、直接的には景弘の功績とされてきているが、厳島神社の海の上における社殿や廻廊の建て方や創意工夫の数々を見る限り、神主の職ではなはだ難しく、だからといって清盛が信仰を深めてきた厳島神社との関係の歳月だけでは、厳島を取りまく海の状況を熟知するには短すぎる。そのため、2人は互いを補完し合うことで、大造営に取り掛かることとし、まずは神社の社格を高めた社殿とするために、①初代神主の佐伯鞍職により創建され、その後も有浦湾奥《ありうらわんおう》の汀線付近に建立されてきた社殿を修造することで、厳島神社の社格を高める建築様式に変更する。②背後の山から湾内に流れ込む2つの河川の河口部の影響を緩和する。③有浦湾の中に改めて社殿を再配置する。④海からの波浪や高潮の影響を防ぐなど、これら課題を解決することが、2人にとっての厳島神社大造営における最優先事項であった。

掲げられた課題に対して、景弘と清盛の2人は、それぞれがそれまで経験してきた「海からの経験則」、すなわち景弘は佐伯鞍職の創建以来続く世襲神主としての務めにおいて蓄積され継承されてきた海面の潮の満ち引き加減から時化の状態、大潮や台風時の波の向きや高潮がもたらす潮位の状況など、おそらく大野瀬戸の状態や背後の弥山の状態、2つの河川の状況などに関して、代々教えを受け継ぐとともに経験を重ねることで、有浦湾の状況をくまなく熟知してきていたものと思われる。

3-13　浮かぶように見える厳島神社社殿　満潮時の海面ギリギリに床を張ることで建物が浮かぶように見える

一方の平清盛は、持ち前の財力と権力はもちろんのこと、平家一門に伝わる海との関係および福原における大輪田泊の修築や築島の建設などの経験を踏まえることで、海における構築物の建設の際に最も重要になる海象条件に関する対応策について、知識や知恵を身に着けており、ときとして過酷になる海象条件を如何に緩和するか、構築物を海の中につくったとき海流がどう変化するか、その対策方法を如何に行うかなど、経験で得た多くの知恵や考え方を持ち合わせていた。加えて、都での建築の流行りなどを見ていた。それがあって創建時よりも遥かに壮大で雅びな社殿の造営を可能にした。

こうした2人の立場の違いによるそれぞれの経験的蓄積の違いが、相互に補完し合うことで、鞍職により593年に創建された厳島神社の修造や造営を行うことが可能となり、それまでの誰一人として目にしたことのなかった、全く斬新で壮大、雅びな社殿を海の上につくりだすことができた。

おそらく景弘はそれまでの社殿については、創建時の建立場所が汀線付近であったため、一日2回ある潮汐変動や大潮による影響および時化のときの波浪や高潮の影響を被ることなどについて、清盛に事細かく説明するとともに、背後から流れる2つの河川の流れや土砂の流れ込みなどについても詳しく説明し、このような自然環境に対して対策を講じることの必要性を説いたものと思われる。そうした話を基にして、清盛は新たな社殿を御笠浜のどこにどう配置するか、中心となる本殿をどこに建立し、神社全体の平面構成をどうするか、干潮や満潮で変化する海面と社殿との関係をどうするか、海が時化たとき、社殿をどう守るかなど、有浦湾の御笠浜《みかさはま》ならではの海と建物との関係についてさまざまな角度から、その対策に対して思いを巡らせたものと思われる。

加えて、清盛は厳島神社そのものの社格を高めるための手立てにも腐心し、内宮としての厳島神社の修造に合わせて、外宮としての地御前神社も修造し、併せて弥山にも奥宮としての御山神社を建立した。これには厳島が信仰対象となっていたり、山岳信仰が根付いていたことから、弥山の山頂にあった弘法大師や空海が８０６（大同元）年に三鬼大権現《さんきだいごんげん》を勧請《かんじょう》して、祭祀《さいし》された三鬼堂を「厳島神社の奥宮」と定めて「御山神社」として鎮守した。こうして奥宮、内宮、外宮が揃うことにより厳島神社の格をひときわ高めることができた。

こうすることで清盛は伊勢、石清水、賀茂など朝廷による二十二社と厳島神社を同格の神社にするとともに[8]、平家一門の守護神としての品格をもつ新たな神社の姿かたちを生み出した（3-13）。

海に浮かぶように見える社殿

厳島神社の大造営とは、読んで字のごとく単に社殿を建立したり、建築したり修築したりするだけの問題ではなく、建築工事そのものが、「大」のつくほどに大規模で、かつ大掛かりな建設が要された。これは厳島神社の様相替えであり、初期の頃の本殿だけの小さな神社は大幅な修造が施されることになった。それは、もともとの神社本殿のあった位置から現在の本殿のおかれている位置に移設した後、本社本殿の前面には、幣殿、拝殿、祓殿が配され、高舞台と平舞台などの付属舎も設けられ、祓殿と拝殿および幣殿を備えた客神社本殿が新たに建立されることで、品格と規模を備えた社殿へと様変わりし、これら2組の社殿を結ぶように廻廊が配され、そこに大小の付属舎が取り付けられることで、厳島神社はその様相を大きく変貌させることになった（3-14）。

そして、現状におけるさまざまな課題についても克服することはもちろんのこと、将来的に予測される課題に対する備えについても対応を図るという、２つの造営作業を同時進行で行わなければならなかった。

そうした対応が求められてきた訳は、厳島神社が創建された当時の場所との関係性がある。神社が創建され祠が建立さ

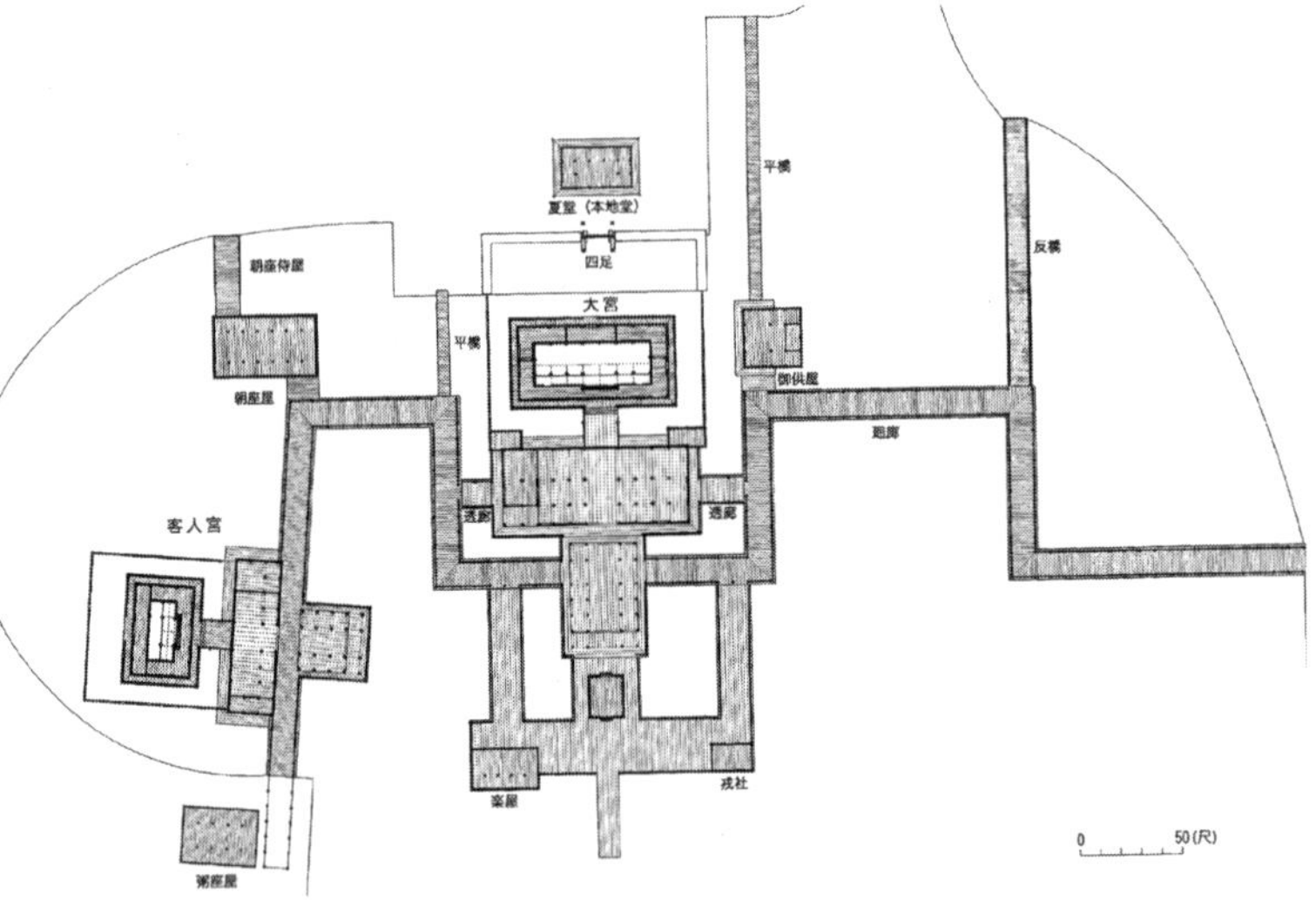

3-14　仁治度の厳島神社平面図　仁治度とは、清盛による仁安３（1168）年の造営後、２度の火災を経て仁治２（1241）年に再建を終えて遷宮された時代を示す。海上にある神社としての参道を海の上に廻廊として配していることがわかる（出典：山口佳巳「中世厳島神社社殿の研究」広島大学学位論文、2008）

れた当時の有浦湾の御笠浜は、祠の前後を囲む海や川から受ける多くの自然環境からもたらされる水害に対して、建築的な対策を施すことが必要であると清盛は参拝を重ねることで見抜いていた。

そのため、清盛は、まず汀線付近に建立されていた小さな本殿の修造から手をつけた。有浦湾の中の御笠浜にあって、初期の祠はおそらくは海側から拝むように大野瀬戸の方向を向いて建立されていた。そのため、向きはそのままにしながら、背後から迫る河川の流水の影響に配慮するとともに、流入する土砂の堆積を緩和する必要があった。また、社格を高めた社殿とするためには新たに幣殿や拝殿などを建てる場所や広がりが必要となった。このため、御笠浜の前浜あたりにあった祠を現在の不明門の前あたりに移設することにより、背後からの影響を受けず、なおかつ、湾奥のため以前ほどの波の影響を受けずに済む。加えて、土台となる基礎部分を石積や埋め立てにしていたならば、底面部分が大きくなる分、河川からの水や土砂が滞留し堆積物が溜まり易くなる。それを避けるため、満潮時には海の底になる社殿の基礎は、海底が低い場所（海側から見て左奥）に限りわずかな高さの基壇を設け、それ以外は廻廊を含めて束石を置くだけの束立て工法

3-15　厳島神社の床下　平舞台の床下は石柱で、この柱は赤間石で毛利元就が寄進した

とした。これにより、水の流れを遮ることなく水が流れるようにした（3-15）。

修造された社殿は、出雲大社の2倍を超える大きさとなり日本一の規模で、その大きさ故に本殿前には新たに拝殿と祓殿や高舞台、平舞台が設けられるなど、本殿の格式を高める特有の空間構成が採り入れられ、全体の建築様式は寝殿造の影響を受けた様相で取りまとめられた。

通常、この大きさの建物を載せるとなると土台基礎を石積みにすることになるが、そうなると湾内に流入する河川の河口部を塞ぐことにもなる。幸い寝殿造の場合、基礎部分は基壇を設けずに束立て工法が採られているため河川の流れを遮ることはないが、この工法の土台部分は木造のため河川からの流水に浸かっていると害虫や菌により木質が腐りやすい。そのため、河口部からなるべく距離をおくことで、多少なりともその影響を緩和する意味合いから海水に浸かりやすい位置が選ばれた。こうした創意工夫があり海の上すなわち海面上に社殿が建立されてきた。ただ、ここでもし大輪田泊の築島造成の経験を生かしていたならば、同じように有浦湾に築島を造成し、その上に社殿を建立することはたやすく、簡単に広い境内を生み出すことも可能であっただろうし、さらに大きな社殿構成とすることができた。

しかし、あえて海の上に建立することに拘ったのは、やはりそれまでの誰一人として見たことのない驚愕するような、そして、深い印象を与える社殿とするためには、「まるで海に浮かんでいる」ように見えることが何事よりも優先的な最重要課題であった。清盛が厳島神社にはじめて参拝に訪れたとき、おそらく海の上に祠がある光景にくぎ付けになり、まさに思い描いていた人心を摑む海の上の神社との出合いに

3-16 厳島神社の満潮時の様子 満潮時には大引や根太の当たりまで海面が上昇するようにすることで、社殿が浮いているように見える

このときなった。こうした海の上に建つという演出を施すことにより、信奉者の心を引きつけ鷲《わし》づかみにし、厳島神社に対する信仰心をよりいっそう厚いものにし、畏敬の念をより深めると清盛は考えた末の産物が大造営であった。

今日的な「海を海として使う」とした海洋の空間利用の考え方が、この時代の平清盛の頭の中にはすでにあった。

そして、この2人の海から得た経験の蓄積が最も発揮されたのは、社殿の床高の決定において反映されている。それは潮が満ちたときに厳島神社は「まるで海に浮かんでいる」(3-16)と誰の目にも映るが、そう見えるようにするためには床面と満潮時の海面の関係が極めて間近でなければならず、そうでなければ浮かんでいるようには決して見えてはこない。このことは有浦湾内の潮汐作用による水位の変化について、普段、潮が満ちる満潮時に湾内の海面の高さはどの程度まで水位上昇するのか、季節による水位上昇の高さは、台風の高潮や大潮の場合の水位上昇はどの程度まで上がるのか、風による波浪の影響はなど、それぞれの水位や波浪の変化についてあらかじめわかっていなければ、適正な高さに床を張ることは難しいことを表している。水位や波浪の変化は長年の経験(観測)があって初めて把握されるものであり、一朝一夕では、海水に浸からずに海面に最も近い位置(高さ)に床を張ることは無理難題である。それは、床面があまりにも低すぎれば台風の高潮や大潮による海面上昇が起きたとき、床は水没することになるし、逆に海水に浸からないように床高を決めると、海面との間に大きく間隙ができてしまい、決して海に浮かぶようには見えずに、親水性や審美性を損なう恐れがある。

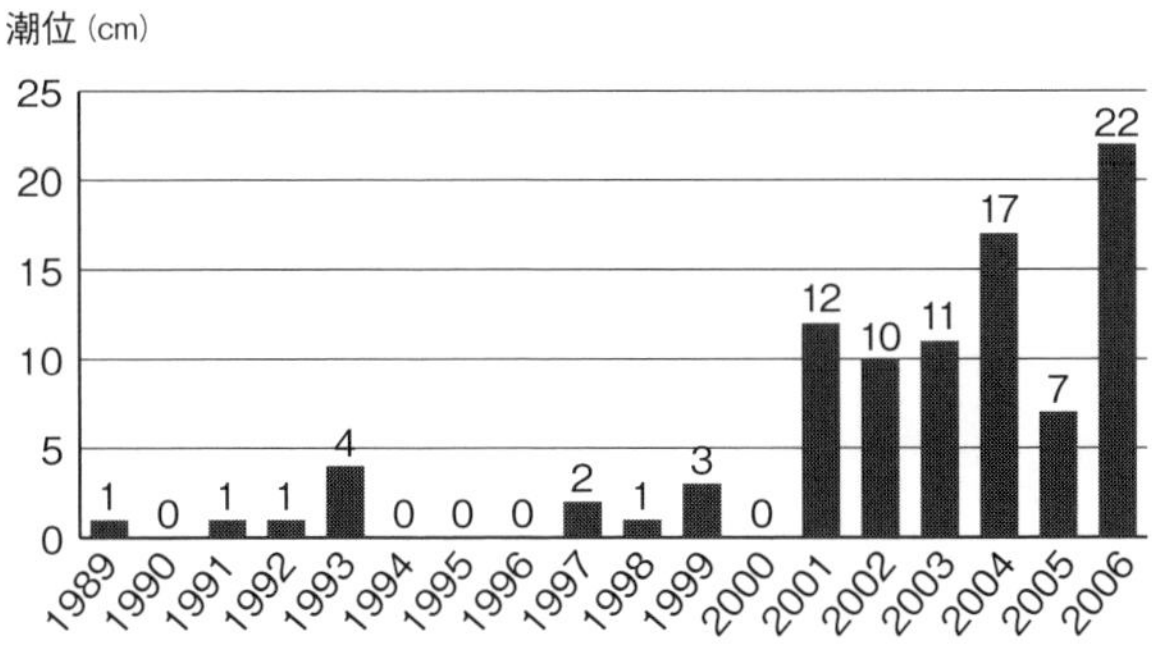

3－17 1989年から2006年までの潮位変化 21世紀になり廻廊の浸水回数が増えている（出典：「厳島神社社務所日誌」から中国地方整備局が作成）

ここに厳島神社が1989年から2006年まで観測（3－17）してきた潮位変化の図を示す。これを見ると廻廊の浸水は、21世紀に入ってから著しくなった周辺部の地盤沈下の影響を受けるまではほとんど起きていないことがわかる。こうした海水面の水位変動を考慮した上で、美しく見える社殿としての最適な床高を決める必要があった。その答えが伊澤岬《いざわみさき》（現・日本大学名誉教授）による厳島神社の床下に立てられてきた「束」の実測調査の結果から明らかにされた（3－18）。このときの調査の結果からは床下の束は石や木が使われ束の断面形状はおよそ12種類あることが確認された。さらに通常目にする水面の高さは最高潮位時において、社殿の床下15センチメートルの水位高すなわち喫水線となるように廻廊の床高は決められていたことが解明された。この喫水線の高さを確定することにより〝社殿が海面に浮かんで見える〟ことを可能にした。この高さは9月の大潮のときには、水面は床面と同じ程度の高さに上昇する。また、祓殿《はらえどの》と拝殿《はいでん》の床は廻廊の床面よりもわずかに長押1本分だけ嵩上げされているが、本殿の床はさらに2本分程度の嵩上げが施されていることも確認された。[8] こうすることで廻廊の床面下の大引きと根太のギリギリのところまで水面が上がるようにし、海の上に浮かんでいるように見せた。

さらに、台風時の高潮や波浪に対しては、廻廊の床面を簀子状《すのこじょう》に張ることで海水が溢れることを許容する一方、波浪を抑える消波効果を果たし、建物に働く浮力や波力を軽減する減勢効果をもたせていたとされるが定かではない。こうして床高が決められた後に、社殿全体を寝殿造の様式を模した建築にしたものと思われる。社殿は、品格を保ち参拝者に畏敬の念を抱かせるような荘厳な空間とするために、建築としての

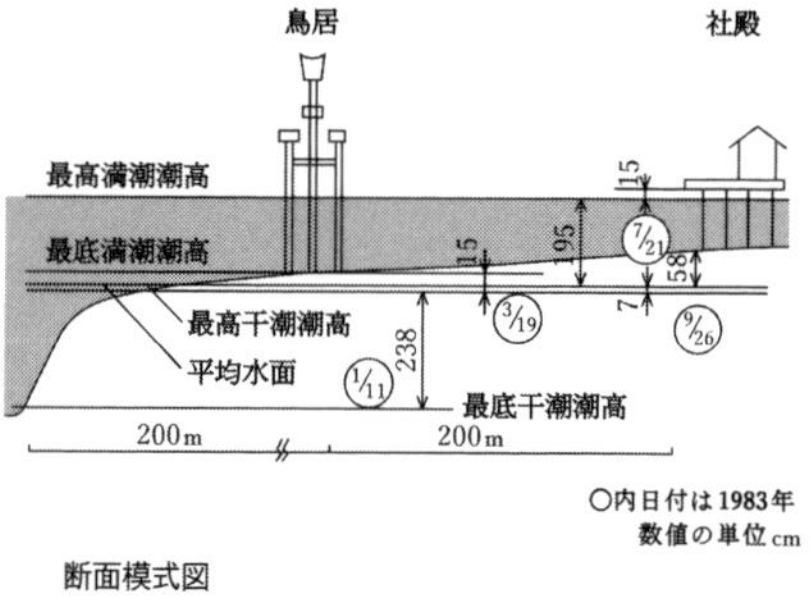

3-18 厳島神社社殿の潮汐断面図 日本大学伊澤教授の調査により、海面の高さは最高潮位時において社殿の床下15センチメートルの水位高となるように廻廊の床高が決められていたことが判明した（出典：伊澤岬『海洋空間のデザイン―ウォーターフロントからオーシャンスペースへ』彰国社、1990・5）

規模や形態、様式に負うところが大きい。そのため、本殿にはその大きさに順じた均斉の取れた大きさの拝殿や祓殿が要されることになり、本殿の前面の海の上にこれらが設置された。ただし、もともと本殿は海側からの参拝や遥拝を意図して建立されているため、祓殿や拝殿が設けられたとしても、やはり参拝のためには海側から入ることが要されることになり舟が必要になる。そこで、潮の満ち引きに関係なく容易に社殿を参拝できるように陸域から廻廊を渡すことでこの問題の解決を図り、かつ社殿としての空間的装いの演出も合わせて考慮することにより、寝殿造が取り入れられてきた。

丁度この大造営が行われたとされる1168年頃の平安時代末期、時期を同じくして貴族の邸宅として都（京都）では寝殿造と称される建築が姿を見せはじめた。清盛はこの都での建築的意匠の流れを取り入れることにしたのだろう。ただ、当時は寝殿造という呼び名はなく、寝殿造の呼び名は江戸時代末期になってから用いられるようになった。したがって、厳島神社が寝殿造と呼ばれるようになったのは江戸時代以降のことである。

神社の形態と廻廊の配置

この寝殿造そのものについて諸々の考察や論争が長らく展開されてきた。今日的には初期の考え方や捉え方とは大幅に異なった見方がなされてきており、時代の流れに対応して空間構成も順次変化しながら寝殿造へと変化したとされている。こうした寝殿造に対する認識を持ちながら、主要な空間構成や建築的特徴を踏まえつつ、厳島神社の研究を長年行ってきた研究者らの考え方を参考にして、厳島神社が寝殿造の影響

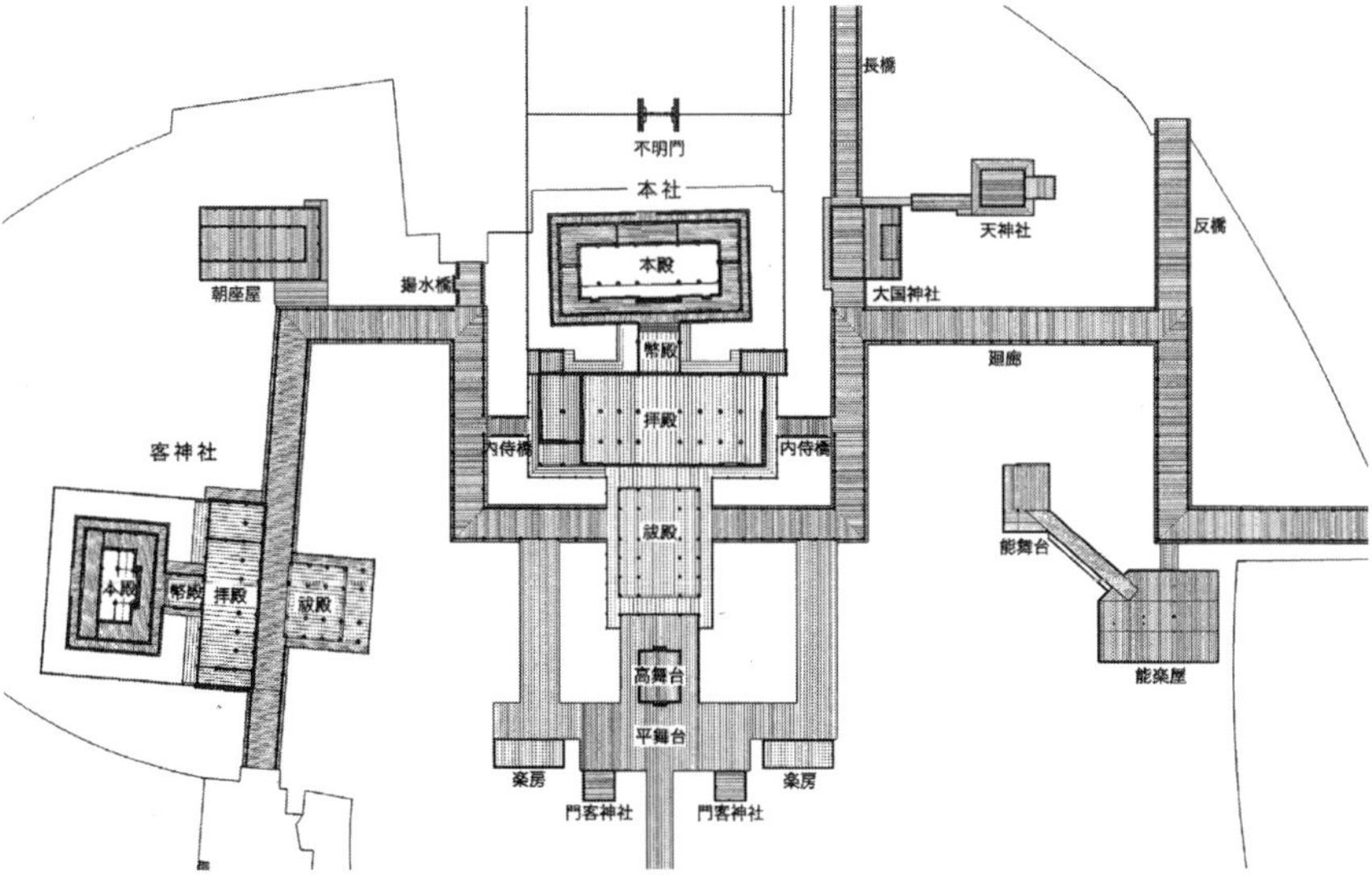

3-19　厳島神社平面図　現在の社殿の配置（出典：山口佳巳「中世厳島神社社殿の研究」広島大学学位論文、2008）

を強く受けたとされる建築様式を見てみることにする。

その前に寝殿造そのものを概観しておくと、この寝殿造は平安時代から中世にかけて都（京都）における貴族や上層社会の住まいとしてつくられた建築様式であり、基本構成は敷地の北側に寄せて建物を配し、南側に池が配され建物と庭園が一体化された空間をつくり出すものとされた。この建物は寝殿（母屋）と庇からなり、対屋《たいのや》が置かれ、これら諸室は渡《わた》殿《どの》や透渡殿《すきわたどの》と呼ばれる廻廊でつながれ、南側に配された池（海を模した大きな池）に向けて透殿《すきどの》が延び、その先端部に釣《つり》殿《どの》が設けられた。寝殿や対屋の建物は柱だけで壁はなく、蔀《しとみ》が付けられていた。内部も天井はなく、間仕切りもなかった。また、寝殿の縁には簀子縁が張られていた。こうした空間構成を見せる寝殿造様式を厳島神社は取り入れてきたとする考え方が一般的な見方であった（3-19）。

この様式に基づき厳島神社の空間構成を見てゆくと、有浦湾の御笠浜に海側（北）を向いて建てられた母屋にあたる本社本殿が置かれ、その前面に拝殿と祓殿が並列に配され、これらは一棟形式で構成されている。これを囲み込むようにして廻廊（庇の深い廊下）が張り巡らされ、祓殿の前に高舞台《たかぶたい》と称される舞台が置かれ、舞を奉納する場としている。この高舞台を囲み込むようにして袖を伸ばした平舞台と称する床が設けられ、この平舞台の左右には門客神社《かどまろうど》と楽房《がくぼう》が配され、真中から釣殿に対置するような火焼先《ひたさき》と呼ばれる先端部分が海に突き出し、その延長線上260メートルあまり沖合に大鳥居が置かれている。本社本殿を囲み込むようにして配されている廻廊は有浦湾の東西の陸域を結び、厳島神社の骨格をなすようにして縦横に配された空間構成を見せるが延長距離は275メートルある。この配置については、おそらく平清盛が都（京都）と厳島を行き来する間に考えついたのだろう。

厳島神社を海側から見て左側、すなわち西を向いて建てられた摂社客神社《せっしゃまろうど》は、大造営の際に新たに設けられたもので、本社と同様に本殿・拝殿・幣殿・祓殿からなる社殿構成をなし、北を向く本社と西を向く摂社客神社の軸線が高舞台の上で相互に交差するように高舞台は配されている。

厳島神社の社殿を構成する廻廊とその配置に関しては、平安時代末期の仁安の造営時のものなのか、その疑問を山口佳巳《やまぐちよしみ》（当時・広島大学）らの研究が解明してきた。[9] この研究成果によると廻廊は東側がわずかに長く、折れ曲がり、位置などほとんど変化はなく、廻廊は東端の陸域に接続する東廻廊は折れ曲がりが3回で祓殿につながり、西廻廊は祓殿から折れ曲がり4回で陸域につながっている。廻廊の東端部には朝座屋《あさざや》があり、朝座屋背後には朝座侍屋、本社本殿背後には夏堂（本地堂）、海側から右側には御供屋がおかれていた。その後、粥座屋、朝座侍屋、夏堂が廃止され、御供屋が大国神社と天神社へと改修され、平舞台に門客神社が左右に設けられほかに、能舞台と能楽屋（1680〈延宝8〉年に広島藩主浅野綱長の寄進により建立）が設けられ、2か所にあった平橋はそれぞれ揚水橋、長橋などに変更された。

このように本社本殿を囲むように配された廻廊に関しては、その復元や使用材料、構法形式に関する研究は丹念に行われてきているが、廻廊の配置や形態については、なぜ、どうしてこうした配置が取られるようになったのか、この最も気になる疑問について探求している研究は残念ながら見出すことはできない。ただ、その多くが本殿を守るための防波堤の役割を担っているとしているが、ここではこうした従来までの見方を尊重しながらも、海の上に建てられている空間は単に演出法としてのあり方なのかについて解いてみたい。

この厳島神社を参拝するためには、東端部に設けられた廻廊の入口から境内に入ることになるが、廻廊はここから本社本殿に向いて配されていて、途中で2度折れ曲がって祓殿に至ることになる。東端部入口が90度ほど左側の護岸側に向いて設けられていれば、折れ曲げる必要はなく直接的に祓殿に至り、さらにそこから西側廻廊も直線化することで一直線の通路にすることができ、廻廊を短くすることも可能であっただろう。ただ、そうなると、通常、参道の深い神社では、境内に入り鳥居をくぐり本殿に至るまでの間に参拝者の気持ちが次第に精神的に高揚するとともに厳かな気持ちに変わってゆくことが期待されて、シークエンスな空間づくりがなされているが、海の上にある厳島神社ではこうした空間による演出構成を取り入れることは甚だ難しい。そのため、本殿に至るまでの精神的な高揚感や厳かな気持ちを醸成できるようにわざわざ廻廊を屈曲することで簡単には本殿に至れないように配したものと推察される。

その結果、まず境内に入って左前方の本殿の正面を見ながら廻廊で歩を進めてゆくと、途中、右側に折れ本殿の側面を眺めることになり、そして今度は拝殿を眺めながら進み、ようやく祓殿に至る。こうした廻廊の配置により、本社本殿をくまなく眺めさせることになり、参拝者には霊験あらたかで精神的高揚感の高まりが期待された。境内から出るときも同じである。

この廻廊とその配置のあり方は、神社として求められる空間構成の作法を上手く取り入れているが、それ以外にも意味があり、実は厳島神社では全く別の役割や機能も加味されていた。それは、海の上という場所に建立されたがために避けることのできない海からの影響、すなわち波浪や高潮を回避しなければならないといった難問である。この難問に対する解答として清盛は廻廊を配することを考えついたのだろう。

減災への配慮と秘められた2つの軸線

厳島神社の社殿は海に向かって真正面を向いている。晴天時は対岸の緑に覆われた丘陵地帯を波静かな海面を隔てて一望することができる絶好の場所である。しかしながら、天候が一変して強風や台風、高潮などの荒天時になると、その海からは風浪とうねりが混在した激しい波浪の影響を直接被ることになる。そのため、清盛は社殿の造営において、気象や海象の変化に伴い海から被る波浪の影響に対して如何にして対処したらよいのか、その対処方策をいくつも勘案することが強いられたが、その後になり、波浪を抑え込む抑制方策を取るのではなく、制御してむしろ緩和する減勢治水による方策を採り入れることを考えついた。

丁度この頃、清盛は１１６２（応保２）年に大輪田泊の修築において波浪による被害を防ぐために、湊《みなと》の前面に築島（人工島）を築くことで、風を遮り安全な泊地をつくり出すための工事を行っていたが、度重なる悪天候で工事を断念せざるを得なかった。ただ、このことにより海に対して多くのことを学ぶ機会を得ることになった。

そのため、厳島神社の修造においては、大輪田泊の築島の経験から、社殿に対する波浪の影響を防ぐための方策を持ち合わせていた。しかしながら、ここではあえて波浪を抑え込むための方策を取らずに、波浪による影響や被害を甘んじて受け入れながらも、その勢いを減少させる減災方策を取り入れることにした。その方策は、築島による対策では通常の陸上に建立されている神社と何ら変わらず、波や潮の影響を被ろうとも、海の上に建立されていることが厳島神社の存在価値を高めることになる。台風や高潮などの波浪による影響や被害を受けても、最終的には神社で最も重要な主祭神が祀られている本社本殿さえ守り抜くことができればそれでよいことになるため、本殿の前に波浪を抑えるための幾重にも重なるような、立ちはだかるような障壁を設けることができれば事足りる。その障壁としての役割を、祓殿や幣殿などを設け、廻廊を配することで担わせた。特に廻廊については、その配し方を工夫することで本殿を囲み込むようにわざわざ配していることがその形状からわかり、あえて廻廊を活用することを思いついたと推測できる。

いずれにせよ、波浪を制御し減勢することは、廻廊の存在からして当初から考慮されていたものである。

この廻廊の配し方を俯瞰的に見ると本社本殿を取り巻くようにして配されていることがわかる。また、拝殿前の廻廊の前には平舞台とその袖となる部分が設けられているが、これがあることで本殿の前面は三重の防御を施していることになり、最も重要な本殿を最も厳重に守るように配慮している。さらに、こうした防御は、段階的な堅牢さを以て配されるこ

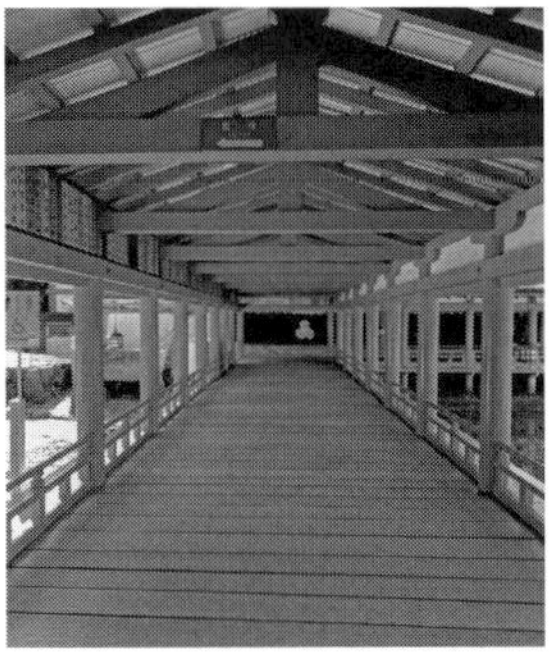

3−20 廻廊の簀子状の床の様子 廻廊は簀子の床を張ることで、高潮の海面上昇時には冠水するようになっている

3−21 筏構造とされる平舞台 廻廊の簀子の床と比べて隙間がわずかに狭い

とで、波浪や高潮の影響を直接的には本殿が被ることを回避するような消波機能とされている。

前述したように廻廊の床面は簀子状に床板が張られ、本殿前の高舞台と平舞台もそれぞれ簀子状の筏構造でつくられ、外海から来襲する波浪の波頭をここで抑え、本殿がその影響を被らないようにして、波浪が強い場合は舞台の床面が浮かび上がることで、波浪の力を建物に伝搬させない仕組みが工夫されている（3−20・3−21）。

こうした段階的な消波の方策が施されていても波浪を抑えきれない状況も想定されており、祓殿と拝殿にはそれぞれ対策が施されている。これらの建物の床に敷かれている床板は単に敷き詰めるだけとなっているために波の打ち上げ時には全て捲《まく》れ上がるようになっており、波浪の力を建物に伝搬させない工夫が施されている。

こうした対策は長年の経験則に基づき身につくもので、清盛が経験してきた海の脅威からの学びを厳島神社の大造営において具体化させたものである。

厳島神社では何重もの仕組みを取り入れることで本殿への被害を防ぐ減勢的で減災的な考え方が見られるが、こうした考え方が平安時代にすでに考え出されていたことにより、今日においても厳島神社の美しい姿を目にすることができ、清盛の将来を見つめた深い思いを伺い知ることができる。

ただし、これまで清盛が廻廊に施したとされる簀子板については、波力緩和や浮力緩和に対する卓越した考え方のように思われがちであるが、寝殿造では元来寝殿の縁には簀子縁が配されていたために、この簀子縁からひらめいたものか、はたまた偶然にも波力や浮力緩和につながったものなのか現在では謎である。

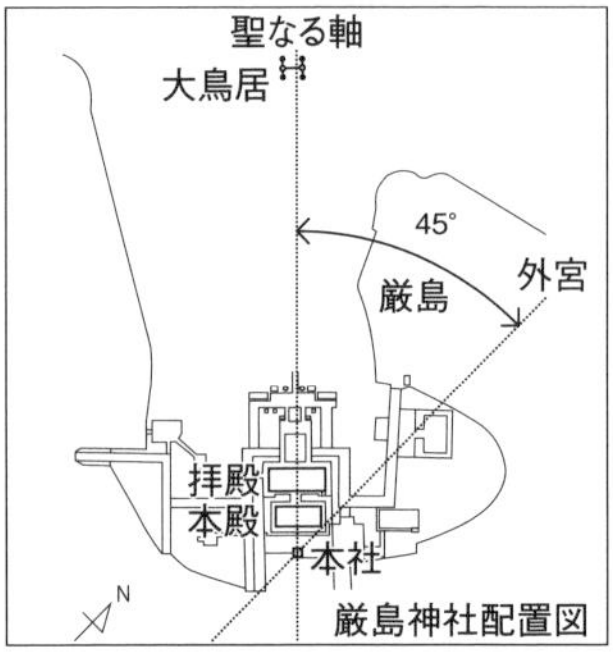

3−22　聖なる軸線　鈴木博之教授により明かされた厳島神社の軸性　外宮に対して聖なる軸は45度振られている（出典：鈴木博之『日本の地霊（ゲニウス・ロキ）』角川ソフィア文庫、2017を参考に著者作成）

厳島神社に備わる自然災害に対する防災的・減勢的・減災的な創意工夫に対しては、既往研究でも明らかにされてきているが、その中で高木幹雄《たかぎみきお》（広島大学名誉教授）は造船工学の立場から、これまで建築学の分野では明らかにされてこなかった厳島神社における波浪や高潮の影響を緩和する対策について解明してきた。この研究では本社本殿は、廻廊以外に、平舞台、祓殿、拝殿が三重構造をなすことで、災害への備えがなされていたことを解明した。[10]

一方、厳島神社の建物配置の特徴は、本殿と廻廊から火焼先を経てまっすぐ沖に立つ大鳥居に向かって延びる軸線と、西を向いて立つ摂社客神社の軸線が高舞台の上で交差するように主要な建物を配していることにあるが、さらに、厳島神社の建物の配置構成は、この軸性を重んじることで秩序づけられており、同じように軸性を重んじたものが、丹下健三設計による広島平和記念公園の原爆ドームと資料館を結ぶ軸線である。このことを故鈴木博之《すずきひろゆき》（東京大学教授）は、その著書「日本の地霊」の中で指摘し、厳島神社に見られる「聖なる軸線」（3−22・3−23）の影響を広島平和記念公園の軸線に重ねることで、その相似性を指摘している。[11]

しかし、ここでは厳島神社の建物配置についてより詳細かつ広い範囲で俯瞰して見ると、内宮としての厳島神社は、外宮である地御前神社と奥宮となる弥山頂上部の御山神社が存在することで成立することになるが、この3社の建物のうち、外宮と奥宮を線で結ぶと、一直線上に内宮である厳島神社が載ってくることはすでに先述したが、さらに、内宮の社殿と大鳥居を結ぶ軸線については、外宮と奥宮を結ぶ真北を向く「子の方位」軸に対して正確に45度、北西方向に振り向けられている。ただし、こ

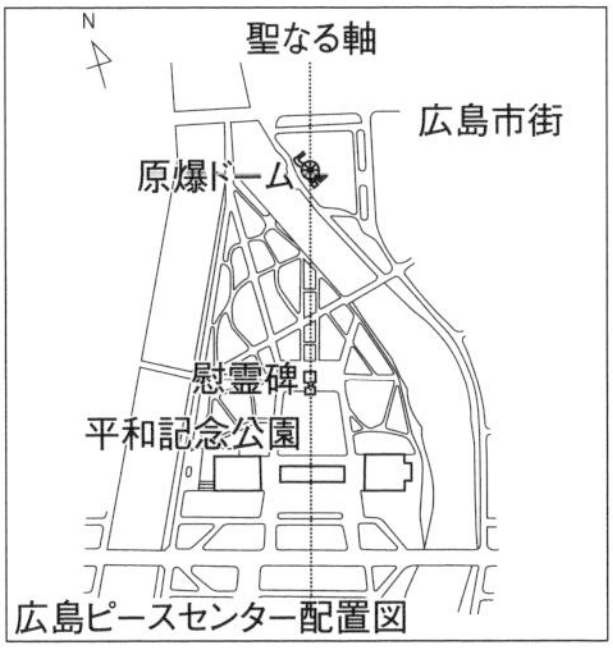

3-23　平和記念公園に見る聖なる軸線　丹下健三による広島平和記念公園計画へ引用された軸性（出典：前出『日本の地霊（ゲニウス・ロキ）』を参考に著者作成）

うした軸線は如何なる考え方で取り入れられてきたのかは、必ずしも明らかにはされていない。

　これら3社の関係性をそのまま広島平和記念公園の空間構成においても見ることができる。すなわち、資料館と慰霊碑および原爆ドームのそれぞれの建物配置とこれらを結び付ける軸線においても相似しているように見てとれる。それは見方によっては、外宮が資料館、内宮が慰霊碑、奥宮が原爆ドームと置き換えることで空間配置と軸線および各建物の間の取り合いの面で引用あるいは相似性が見られ、この三者を結ぶ軸線と間合いの関係性を建物配置において丹下健三は巧みに取り入れている。

　そして、広島平和記念公園以後の「東京計画１９６０」などの作品にも軸性は生かされており、晩年の国連大学本部でも建物の正面玄関を、その前を通る国道２４６号線を挟んだ向かい側にある青山学院大学の敷地内に立つ教会正面に向けている。[12] 同じ試みがカーンによっても行われており、サンディエゴのラホヤに立つソーク研究所の建物配置では、太平洋に向かって荒涼として広がる敷地の中に、建物配置を決める手掛かりとして設けたのが1本の細長い水路であり、太平洋に向かってまっすぐ伸びる東西の軸線となっている。

清盛の海洋国家への思い

　厳島神社を自然災害から守り、その存在を可能にしているのは平清盛の大造営以外にも積み重ねられてきた長年の周辺整備に負うところが多々ある。

　特に背後から有浦湾に流れ込んでいた2つの河川の流路の変更には大きな意味が

3−24　神社境内としての御笠浜につくられた鏡池（向かって左側の鏡池）
もともと流れていた川からの伏流水が流れ出ている

ある。前述したように、この2つの河川の流路変更に関しては諸説あるが、本書では文献資料に書き残された記述を尊重する立場を取ると、『広島県史古代中世資料編Ⅲ』に記述された資料からは、１３００（正安2）年に2つの河川にそれぞれ橋を架けたことが記されており、この頃は前述したように、まだ有浦湾には東側から御霊川《ごりょうがわ》（現・紅葉谷川）が流れ込み、西側からは瀧川《たきがわ》（現・白糸川）が流れ込んでいた。そして、１５４１（天文10）年に起きた御霊川（紅葉谷川）からの土石流の流出により本社本殿の裏手の本地堂が埋まり、堆積した土砂の影響で紅葉谷川の流路が大きく西側にそれて蛇行した流れに変わった。その後１５８１（天正9）年になり堆積した土砂の除去が行われ、それに合わせて客神社から朝座屋の背後の海岸線にこの除去された土砂を利用した堤が築かれ、流路を大きく西側に曲げることと合わせて後園が造成された。西側に大きく流路を変えた紅葉谷川は白糸川と合流して新たに御手洗川《みたらいがわ》として西側に向けて延伸され河口が築かれた。

その後、１７３９（元文4）年になり再び紅葉谷川で大洪水が発生し、今度は神社境内が埋め尽くされるほどの被害を被ったが、本社本殿の被害は免れた。このときの流出土砂は、再び御手洗川の築堤に用いられ、流路の更なる延長が図られて西の松原の築堤が造成された。これにより、2つの河川の流路はそれまでとは違い有浦湾には流れ込まなくなった。その結果、厳島神社は直接的には真水に曝されることはなくなったが、2つの河川の伏流水は今でも残されており、鏡池として境内の東西に配され、干潮になると各池は海底からその姿を現す（3−24）。

こうした創意工夫を背景にしながら、１２０７（貞応元）年と１２２３年に火災を起こし、社殿は全焼している。その後、鎌倉幕府が再建を図ることで、厳島神社は850年以上経った今でもその美しい姿を維持している。

平清盛はこの厳島神社を拠点にして、この海域一帯に宋をしのぐアジア一の海洋国家を築き上げるとの思いを込めた壮大な構想を描いていた。その強い思いが厳島神社の雅びな姿に具現化されてきた。それは、厳島神社を初めて参拝に訪れた参拝者誰もが感じ取る「極楽浄土を思わせる」の言葉に表れていたり、それ以前に厳島内侍と言われた巫女がまとっていた服装は当時の宋の装束や髪形を取り入れたもので、この頃の人々の目には奇異に映るようなわが国にはなかった先進的な装いを採用することで、厳島神社に込められた斬新さをいっそう印象深く見せるような演出をさまざま取り入れていた。

3-4 福原の築島（人工島）

清盛による泊の修築

厳島神社の大造営を完成させるうえでは、それまでに清盛が海とのかかわりをもつことにより取得し得た海からの経験則をあらゆるところに生かしていた。このことは850年ほど前に完成し、現存している本殿において、将来的に予想される自然災害から被る社殿への被害を想定することで、減災し緩和するための措置を随所に施していたことから伺い知ることができる。

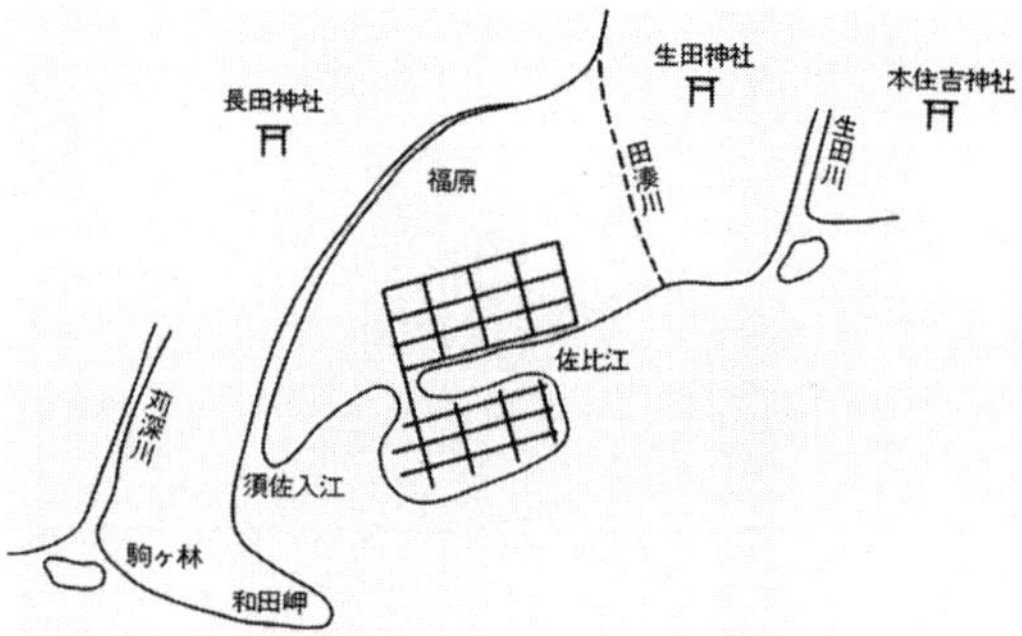

3－25　**大輪田経が島の推定図**　平清盛によりつくられた経が島は広さ30ヘクタールで土量140万立法メートルと推定される（出典：下村嘉平衛「人工島の歴史」土木學會誌別冊増刊、Vol78-12、1993）

特に廻廊や祓殿、拝殿の配置における創意工夫やそれらの床板の張り方において、本社本殿を守るために卓越した減災のための創意工夫が何重にも施されていることなどからも見てとることができる。こうした措置を施すことができたのは、前述したように清盛が厳島神社の大造営に先立ち、海での難工事に幾度も遭遇し失敗を経験することで、海象条件の厳しさについて身をもって経験し取得してきた知恵や知識をもっていたからである。

平忠盛《ただもり》・清盛親子は熊野や瀬戸内海の水軍を支配し、交易により財力を蓄えていたが、それには、船や泊、航路が要であることを承知し海を熟知することが最も重要であることを悟っていた。

平清盛は、厳島神社の大造営より前の1162（応保2）年に摂津国福原（現在の兵庫県神戸市兵庫区）に山荘をかまえることで、大輪田泊（湊）の修築に着手した。山荘からは2・5キロメートルの場所にあった大輪田泊は瀬戸内海航路の東端の要港であり、奈良時代の僧侶行基《ぎょうき》が築いた五泊（河尻泊《かわじりとまり》〈兵庫県尼崎市神崎町〉・大輪田泊〈兵庫県神戸市兵庫区〉・魚住泊〈兵庫県明石市大久保町〉・韓泊《からとまり》〈兵庫県姫路市的形町、後の飾磨津〉・室生泊〈兵庫県たつの市御津町室津〉）の中の1つであると、914（延喜14）年の三善《みよし》清行《きよゆき》の「意見封事」に記されている。ただし、大輪田泊の当時の位置は確認されていないが、現在の神戸港の西側の兵庫県神戸市兵庫区に所在していたとされる（3－25）。

この大輪田泊については812（弘仁3）年の『日本後紀』に修築について記されたことをはじめとし、泊は絶えず風や波により港湾施設が破損する度に石椋《いしくら》（石堤）を築くなどの修築が続けられていた（3－26）。加えて、地理的な条件により水深が浅

3-26　大輪田泊の建設に使われた石椋（いしくら）　経が島の建設には石を積み上げた波消し突堤がつくられたが そのときに使われたものとされる

く大型船の出入には難があった。当時からこの「泊」の名が付く湊は全て遠浅な場所であったため、この頃の船は平底で建造されていた。そのため、日本の船にとっては特に問題はなかったが、喫水の深い宋の船は入港することができなかった。そこで、1162年2月から工事がはじめられたが、先に示したように悪天候が続き8月に工事は断念された。翌1163（長寛元）年3月に工事は再開されたが、工事は難航し、それまで全く経験のなかった海の埋め立て工事は多くの困難を強いた。そのため、工事にまつわる経石や人柱に関する説話がさまざま語り継がれてきたが、『延慶本平家物語』「巻六太政入道経島を突給事」によると、清盛はこの難航した工事に人柱を入れる代わりに一切経を書いた石を船に積み、船ごと沈める「船瀬工法」を取り入れた。1173（承安3）年には私財を投入し、本格的に工事に乗り出した。1174年に推定面積37ヘクタールの築島（人工島）が竣工し、工事の経緯などを踏まえて「経が島」と名付けられた。翌1175（安治元）年にようやく全ての工事が完了した。

　築島については、その後、鎌倉時代の1232（貞永元）年には相模湾東部の和賀《わが》江《え》湾において、やはり日宋貿易のために宋の船を迎えるための港が必要となり、源頼《みなもとのより》朝《とも》の鎌倉幕府に代わって、勧進僧の往阿弥陀仏《おうあみだぶつ》が和賀江湾の沖合に築島をつくり、宋の船を受け入れた。[13] 現在は、国内最古の築港遺跡「和賀江島《わかえじま》」として保護されている。

　余談だが人為的につくられる「人工島」は近代以降の呼び方であり、元来は埋め立てによってつくられる島は築く島であり「築島《つきしま》」と呼ばれた。ちなみに、東京の月島はやはり埋め立てでつくられ、築島と書いていたが、月がきれいに見える場所に由来して「月島」と変えられた。

海の都への思い

清盛は新たな島をつくるため、近くにあった塩槌山《しおづちやま》を削り、その土砂で須佐《すさ》の入江を埋め立て、難工事の末に埋め立て土砂量216万トン、作業員延べ390万人の手による面積37ヘクタールの築島を築きあげることで、波浪に強い沖合に出された安全な碇泊地をつくりあげた。この築島は現在神戸港沖にある六甲アイランドの総面積596ヘクタールほどに比べ、そのわずか20分の1程度のごくごく小さな人工島でしかない。しかしながら、この当時、まだ誰もが海を埋め立てるなどという考えを持ち合わせていないときに、清盛は前代未聞の大工事を敢行した。

築島の建設では、それまで全く経験のなかった海の埋め立て工事を進めなければならない上に、悪天候が連日続いたことで難工事はいっそうの困難を強いた。そのため、工事にまつわる経石や人柱に関する説話から築島は「経が島」と名付けられたようだ。この修築によって宋の貿易船は博多に泊まらずに、そのまま音戸の瀬戸を通過する瀬戸内海航路を航行して直接大輪田泊に入港できるようになった。ちなみに、音戸の瀬戸の開削は厳島神社参詣のための航路として、荘園からの租税運搬のため、日宋貿易のための航路として、海賊取り締まりのため、などとされ、1165（永万元）年旧暦7月10日に完成した。

宋の船を迎え入れることができるようになると、今度はこうした船の造船技術を学び取り、船底に水切りをつけた船が建造されるようになった。その後の湊は「泊」から「津」の文字が付く水深の深いものがつくられるようになった。

この築島＝人工島建設は大輪田泊を九州の博多にかわる日宋貿易の基地にするためのものであり、合わせて福原には大規模な都をつくることで、1180（治承4）年には福原遷都が行われ、修築された大輪田泊を囲むようにして「海の都」を築く構想を描いていた。清盛は瀬戸内海航路を開くことにより東アジアとの海上交易を活発化させて「海」を中心にした新しい日本の活路を築き上げようとしていた。

第4章

なぜ海に建てられるのか

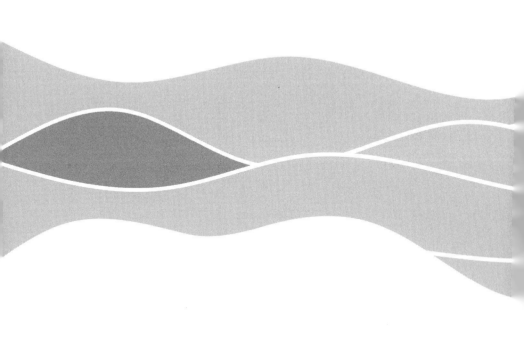

4-1

海の上の建築

海にどう建てるか

建築学においては学問領域の拡張や細分化が進み「海洋建築」という、従来までの陸上における人間活動を補完するための建築（物）とは異なる海にかかわる建築分野の探求が進んできたが、こうした新たな概念としての海洋建築が提起される遥か以前から海の上に建築はつくり出され立っていた。厳島神社はその代表格として位置付けることができる。

海の上の建築あるいは海洋建築と呼ばれるものは、場所性や時代性を背景にしながらつくり出されてきており、江戸期には大坂を中心にして浮かぶ水上店舗といわれた「牡蠣船」が登場し、明治期には横浜湊沖に浮かぶ人工海水浴場がつくられてきた。戦時中には本州の半島部に特攻兵器用の海上軍事施設がつくられ、近代以降では１９７０（昭和45）年に世界初の海中景観を楽しむ海中展望塔が和歌山県白浜に建てられ、その後、全国に11基ほどつくられてきた（４-１）。75年には沖縄の本土復帰を記念した沖縄海洋博覧会が開催され、世界初となる海上都市のモデル「アクアポリス」（４-２）が出展展示され人気となった。

80年代後半に起きたバブル景気の時期には、国内各地でウォーターフロントや海洋リゾートといった言葉に酔いしれるようにして海に立つ建築が次々に構想され計画され、つくり出されてきた。ホテル、劇場、水族館などおおよその建築的な用途機能をもつものは、その完成度を別にすると百花繚乱状態で各地につくり出されてきた。世界に目を向ければ、おおむね陸上にある建築の用途や機能をもつものは、ほとんどのものが海の上につくり出された（４-３）。

4-1a　流氷タワー(北海道紋別)　漂着する流氷を海中から見上げるように設置された展望タワー

4-1b　勝浦海中展望塔（千葉県勝浦）　わが国海岸浅海部に建設された海中展望塔の1つ

4-2　アクアポリス　1975年沖縄海洋博終了後、ロワーハルを沈めた状態の姿

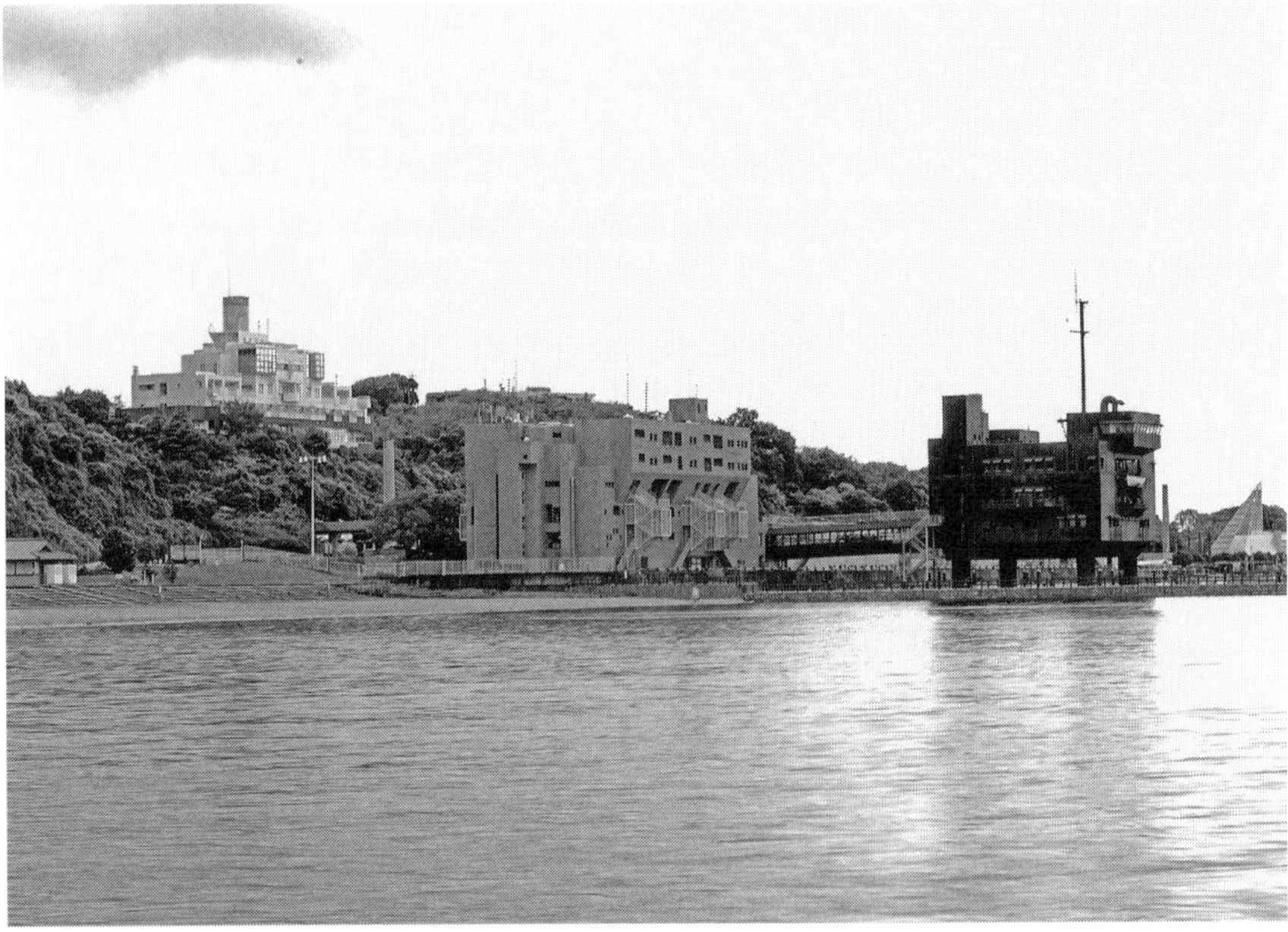

4-3　大阪府立青少年海洋センター宿泊棟　宿泊棟を海上に建てることで海洋センターを印象づけた

ここで「海洋建築」について少しだけ触れておくと、公の場所で「海洋建築」という言葉が提示されたのは１９６５年の初夏にアメリカ・ワシントンで開催された第1回海洋科学技術会議の席上であり、会議に招請されたフランスの海洋学者ジャック＝イブ・クストーが記念晩餐会のスピーチの中で語ったのが最初である。このときクストーは、海洋開発は資源収奪のためだけに行ってはならないとの警告を含めて、「この新しい人類の努力が、たんに海洋を荒し、資源を収奪することに終わってはならない。海洋は、ただ科学と技術によって踏み荒らされるべき植民地ではなく、人間の全的生活を豊かにしてくれる新しい陸地として、扱われなければならない。その意味では、海洋科学、海洋技術に続いて、海洋建築、海洋芸術、海洋文学が生み出されていかなければならない」（酒匂《さこう》利次《としつぐ》翻訳原文のまま）と語り、海洋開発における科学や技術とは一線を画して人類社会が成熟することで、人間の生活を豊かにするものとして海洋芸術・文化と同じかあるいはそれ以上の上位に海洋建築を位置づけなければならないと主張した。[1]

日本では１９７３年に日本建築学会の機関誌「建築雑誌」に学会・海洋委員会委員長で、当時、科学技術庁海洋開発審議会専門委員であった加藤渉（日本大学教授）により、定義が示されたものが最初である。後に国土交通省において89年に「海洋建築物の取扱いについて」が通達され、90年に財団法人日本建築センターが「海洋建築物安全性評価指針」をまとめている。

この頃国内ではウォーターフロントと呼ばれる水辺や水際に、余暇施設や余暇活動支援施設などが建設されるようになり、海洋建築物が各地で計画されるようになった。建築基準法は、海底に固着された海中展望塔などのほかに海の上に浮かぶものについても鎖や桟橋により海底に定着し、建築物の用に供するものについては、建築基準法の対象としているため、旧南極観測船ふじ（名古屋港で博物館として使用）なども海洋建築物の安全性確保の上で、建築基準法の規定を受けている。そのため、事業者側の計画・設計の指針として活用されることを目的に作成された。こうした評価指針などが整備されることにより、海洋建築物が全国で建設されるようになった。ただし、海の上の建築は陸上に立つ建築と比べれば、その数は圧倒的に少ない。しかしながら、全国の海岸線やその付近をつぶさに見てゆくとその存在に気が付くことになる。

4-4　東京灯標　２０１４年に解体撤去されるまで45年間役割を果たした東京灯標

たとえば、１９６９年に初点灯した東京港の「東京灯標」（4-4）を見てみると、この灯標は2つの役割をもたされていた。1つは東京湾の最奥部に位置する東京港では台風時の南西風により海水の吹き寄せなどが発生し、度々、高潮災害を起こしてきたため、59年の伊勢湾台風による甚大な被害を契機に61年から波浪観測が開始され、69年からはその波浪観測の業務を担ってきていた。もう1つは本来の灯台としての役割が課せられていた。東京都では終戦直後から１００トンあまりの灯船を係留し、これが灯台と航行管制の役割を担っていた。

この灯船という船を使った形式は国内では唯一無二の存在であった。しかし、船舶の大型化と高速化、そして航行隻数が増えることにより、船舶の引き浪の影響が増えたことや管制の上での視認性の悪さとともに、管制室の居住性の悪さなどが指摘され、新たな総合標識の必要性が高まることで本格的な海の上の建築として「東京灯標」が設置されることになった。

設置にあたっては、単に機能上の要求を満足することだけではなく、東京港のシンボルとなり得るデザイン性が要求され、特に東京港に入港してくる外国船に対して東京を表す「何か」が求められた。当時としては海上に設置するものとしてはかなり高いレベルのデザイン・コンセプトが求められたのである。

そのため、この計画を依頼された当時の東京都立大学建築学科長倉研究室の長倉康彦《ながくらやすひこ》教授は海上保安庁とともに計画をまとめ、構造面については当時、東京大学工学部建築学科講師の加藤勉《かとうつとむ》と秋山宏《あきやまひろし》の2人の協力を得ることで進められた。余談だがこの2人はその後、東京大学建築学科教授となり建築構造学の大家として数多くの研究成果を輩出した。

灯標の計画を推進する手はじめに東京港の軟弱地盤上に如何にして灯標を建てるか、その検討が進められた。その結果、灯標を構成する建物は上部構造と下部構造の2つに分けることになり、まず人工地盤となる下部構造を設置位置に据え、その後に上部構造としての上屋を設置することになり、上屋としての灯標と管制のための見張室を据える案がまとめられた。その後、これらを一体的な建物とするためのデザイン意匠が検討され、下部構造を構成する杭構造をどのように視覚的に見せるか、上部構造としての上屋になる灯標と管制用の見張室はどうデザインするか、この2点についてのスタディが繰り返されることになった。

最終的に灯標の塔身は沖合からの視認性を考慮し海面上29メートルの高さにすることが決まり、見張室は大型船舶のブリッジ高を考慮して水面上20メートルに据えられることになった。また、本来の機能である「灯台らしく」ロマンが感じられることや、「見張る」ことを形として表現することが検討されることで、灯火を支える塔身はより灯台らしく、見張ることはそれらしい形が想起されて、二枚貝が開いた状態、すなわち貝が少し開き外を眺めるといったイメージが形態として取り入れられた。そして、下部構造は16本の柱が無骨にならないようにするため細心の注意が払われ、柱をひと回り大きな箱で囲む形態が取り入れられることになった。[2] こうしてまとめられた形態は安定感と軽快さをもったデザインとなり、東京湾を行き交う船舶から親しまれた。およそ45年の役割を果たすことで、2012（平成24）年にその姿を消していった。[3]

このように灯標1つを見ても、海の上に建てられることになった理由やそのデザインにはそれなりの理由のあることがわかる。では「なぜ、海の上なのか」「どうデザインしたか」その理由を見てゆくことにする。するとそこには、まず、海の上に建てたいとする強い思いが発案者にあったり、逆に建てたい場所に土地が無かったり、土地が沈んでしまったりすることで海の上に建てざるを得なかったり、地盤が軟弱であったり、海にかかわる博覧会やイベントなどで海の上に建築物を浮かせたり、戦時中の軍事施設として作戦上、海の上に建てられたものなど、それぞれ歴史性や文化性、地域性や風

4-2

土地がない

土性、機能性やその目的、用途などが背景として存在したことがわかる。ここでは海の上の建築、すなわち海洋建築物の中から、代表的なものを選び出し、その建設の経緯やデザインに見られる特出すべき点に対して、特に注目して見てみることにしたい。

太田屋旅館鹿島店

愛媛県松山市北条港の西方に広がる斎灘《さいなだ》の海上400メートルの位置に周囲1・5キロメートル、標高113・8メートルの鹿島と呼ばれる小さな島がある。この島は古来、周辺住民から篤い崇敬を受ける鹿島神社が祀られており、江戸時代には島そのものが城郭となる海城「鹿島城」が建てられていた。島は潮の流れが激しい海域に位置しており、島の周辺海域は深く、水深は30メートルほどに達する。島の南側にはキャンプ場と広場および人工海浜が整備されており、西側には水晶ガ浜海水浴場が広がるが、ここは沖合からの風や波を遮るものが何もないため、台風などによる自然災害を受けやすい。北側には北条港との渡船の港がある。島の周りには海岸沿いに遊歩道が設けられており島を一周できる。

この島にある唯一の旅館「太田屋旅館」（4－5）が、立地する北東側の海岸は波浪や風の影響は小さいが海域の水深は深く、干満時には強い流れが発生する。そのため、江戸時代から地元の漁船や船舶からは海上交通の要所として位置づけられていた。潮

4-5　太田屋旅館鹿島店　愛媛県松山市沖の北条鹿島にある海の上の旅館。江戸時代に汐待の漁船を相手にした納涼床から発展していき旅館となった（右側は国民宿舎「鹿島」。2003年に閉鎖解体）

の流れは速く、満潮時には北側へ、引き潮時には南側へと潮の流れが入れ替わるため、江戸時代の頃から漁師はこの潮の変化を巧みに読み取ることで漁船を効率よく操船していたが、鹿島の沖合海域では漁船や運搬船などが「潮待ち」することが習慣化していた。

この「潮待ち」の漁師や船乗りを相手に一時休憩場として設けられたものが、村営による簡易なつくりの小屋掛けされた高床形式の海上「納涼台」であった。その後、この「納涼台」では飲食の提供が営まれるようになると客足が増えたため、それに合わせて増床された。しかし、島の土地は狭隘で、平坦な用地がないために海上が唯一の増築の場として活用された。その後、ときが過ぎて１９５３（昭和28）年になると、地元松山市で旅館業を営む太田屋に「納涼台」の経営権が譲渡されることになった。56年になり、鹿島が瀬戸内海国立公園特別地域に指定されると別名「伊予の江ノ島」とも呼ばれるようになり、利用者はすこぶる急増するようになった。この事態に対処するため、当時、飲食施設しか設けられていなかった島では、利用者から宿泊施設もつくって欲しいという要望が高まり、この要望を太田屋が受け入れることで、60年に納涼台を平屋建ての大広間形式の建物に増改築することになった。

実はこの動きには伏線があり、もともと１９２０（大正９）年に当時、北条町長の得居政太郎は、高松から松山までの国鉄開通への気運が高まるなかで、公有財産としての鹿島を借り受けて、鹿島の公園化を計画したことに端を発し、島の公園化を検討するなかで、それまでにはなかった鹿島と北条港を結ぶ渡船の運行計画を立案し、この渡船の船頭を町民から募集することで、町民が直接的に現金収入を得ることができる工夫を盛り込んでいた。鹿島は、夏は四国側の北条市に比べ涼しく海水浴の楽しめる砂浜があり、山には野生の鹿が生息するなど、豊かな自然環境を有していた。このため、この環境を生かしたレクリエーションの場の整備が模索された。昭和30年代（１９５５〜１９６４）には、社会的な余暇活動の増加に対応することで、61（昭和36）年には島内にレジャーセンター「子供センター」を開園することで、客足をいっそう増やすことになった。

こうした動向を受けて、１９６１年には太田屋は宿泊可能な旅館に衣替えすることになり、建物は島の北東側の海浜部に建てられることになった。しかしながら、島には敷地がないため、納涼台が海の上につくられたときのように海上に建てることになり、建物は海岸から30メートル程度海面に突出するようにしてつくられることになった。

建物は凹型の平面を取り、波を受けないように海面上約２メートルの高さの杭の上に木造２階建てがつくられた。入口部分は島内にあり、居室部分は海の上となった。海の上に立つつつことで軒をルーバー状にして風を通しやすくするなどの工夫が施された。

この太田屋旅館の建て方に影響された町長は、翌62年に旅館の北側に続く海岸に国民宿舎「鹿島」を旅館の建て方と全く同じように海の上に建てた。杭式構造による海上３階建てＲＣ建築物で、杭形式の通路を渡り建物内に入るようになっており、建物は完全に海の上に建てられていた。しかし、２００３（平成15）年には利用客の減少により閉館され、その後に解体された。太田屋旅館については、現在も営業が続けられてきている。[4]

弓削体育館と弓削商船高等専門学校 艇庫

弓削《ゆげ》島は、瀬戸内海の芸予《げいよ》諸島の中の上島諸島を構成する島嶼の中の1つで、愛媛県に属し、越智郡弓削町（現・上島町〈合併による〉）を構成する。2835人ほどが住んでおり、ここに全国の商船系高専5校の内の1校である、独立行政法人国立高等専門学校機構弓削商船高等専門学校が置かれている。前身は1901（明治34）年に開校された愛媛県越智郡弓削村外1ヶ村学校組合立弓削海員学校で、翌年甲種商船学校制度により弓削村外5ヶ村学校組合立弓削甲種商船学校と改称され、その後も管制改正などにより所管が変わるなどの経緯を踏まえて、2004（平成16）年に現在の弓削商船高等専門学校になった。学校制度が変わる度に学校名が長くなっていった。

こうした商船学校が設置される島ではあったが、振興策は離島であるが故に遅れていた。そのため、1980年1月、当時の弓削町長は、衆議院に陳情書を提出した。この陳情書の内容は要約すると「国民総スポーツ時代に突入し、生涯体育が叫ばれる時代の中で多種多様な活動が展開されているが、弓削町の社会体育施設はテニスコート一面の利用のみであり、他種のスポーツは県立弓削高等学校もしくは国立弓削商船高等専門学校の体育館を借用しなければならない現状にある。そこで、社会体育の普及、精進を通じて造船界不況の暗い世相の中でも明るく温かい心を失わない心豊かな青少年育成の場として、体育施設の建設を要望する。……」と弓削町の状況が切々と書かれた。

弓削島内に弓削中学校の校舎が建設されたのは、1968年であったが、この当時、中学校に体育館はなく、島内においてはほかにもなかった。そこで、中学生の利用も含めた町立体育館を整備することが検討されたが、建設のための用地がなかなか見つからずに時間だけが過ぎていった。そうしてようやく見つかった用地は、弓削中学校の東側にある東西に細長い敷地でもともとは畑として使われていた場所であった。苦労してやっと見つけた用地ではあったが、今度は土地の地権者から同意を得ることができず、建設用地の確保ができないままに時間だけが再び経過していった。その後も島の中では用地を見つけ出すことができずにいたある日の会議で、遂に建設場所が決まった。それは中学校の西側の海面を利用して海の上に体育館を建設してはどうか、といった奇抜とも万策尽きた呟《つぶや》きとも思えるような提案であった。しかしながら、会議では誰一人としてそれを揶揄《やゆ》したり、嘲笑するようなことはなく、「海の上の施設も珍しい」といった膝を叩くような同意や賛同が起こり、あっさりと海の上の体育館建設が決まった。

建設のための実施設計では、体育館の下部構造は砂浜の上に基礎となる土台を敷設し、その上に施設を設置する工法が選定された。瀬戸内海にあって弓削島周辺の潮流は流れが速いため、土台の流出が危惧され、砂浜に杭を60本ほど打ち込み地盤の補強をしたうえで、土台部分を敷設し独立基礎がつくられた。また、上屋としての体育館に設けられたバルコニーは、護岸と一体化した波返しがつけられた。

国立弓削商船高等専門学校では、練習船「弓削丸」を所有し、操船シミュレーターなどで教育実習しながら船舶運航技術者や情報技術者、電子・機械技術者の育成が行われてきた。傍らカッター（手漕船）やヨットによる部活動も盛んで、海域ではセーリングが行われていた。こうした艇は通常は泊地やボートヤードに保管されるが、ここでは専用の艇庫が海岸線に沿って海の上に設置されておりそこに収容していた。しかしながら、この艇庫は島内で進む幹線道路の拡張工事により、艇庫のある場所が道路用地となるため移転を余儀なくされており、新たな場所に艇庫を建設する必要があった。ただ、建物周りに検汐波浪測定室や舟艇管理室などが次々建てられてきたため、艇庫利用に際しては、こうした建物の間を抜けるように経路を歩かなければならず、実習の度に学生は面倒な歩行を強いられていた。

この艇庫の計画がはじまった頃は、体育館のように海の上に建設することは全く想定されてはいなかった。そのため、海の上の計画案がまとまった後の構造審査は難航した。当時、海上に建築物を建てるために基礎に杭方式を採用していたものは、全国で7件ほどしかなく、構造審査が厳格化される中で試行錯誤が要された（この頃建築士による耐震強度偽装問題が表面化し社会問題になっていた）。それというのも上部構造の建築部分は建築基準法が適用され、下部構造の杭部分は地盤の地耐力だけでなく海中でもあるため、水圧、海上の波浪などの応力を考慮しなければならず、土木基準による構造計算が要された。当時の許認可では、建築と土木の構造計算を混在させて構造判定した前例はなく、審査において建築主事を長期間悩ませることとなったが、最終的には、土木構造を建築構造体としてモデル化して取り扱うことで審査をクリアし

4-6　弓削商船高等専門学校艇庫
島内に敷地が確保できず海上を利用して建築された

た。次に問題となったのは、海上で建物を施工する上での対策であった。建設現場となる場所は、陸域部分が極端に狭く大半が海の上であり、周辺海域は潮流が速い。こうしたことから重機を敷地内に搬入することはとても困難であった。そのため、潮の干満時間に合わせて、重機を用いた鉄骨建て方工事は、海上からクレーンで施工することになった。満潮のときは敷地内にアームを延伸して建築工事を行い、干潮のときは床版が海面から上がるため土木工事を行うといった具合に潮の満ち引きに対応してクレーンを稼働させることになった。

工事は、まず約１１４０平方メートルの人工地盤をつくるために、５メートル間隔で約50本の鋼管杭が打設された。その後にコンクリートで地盤をつくる工程になっていたが、潮の干満差が３・78メートルも変動し、満潮時には基礎が水没してしまうため、日に２度ある引き潮に合わせて工事が進められた。周辺海域では海苔の養殖が盛んであったため、工事では中堀工法を用いる施工法が取り入れられた。こうしてつくられた人工地盤の上に鉄骨２階建ての艇庫が載せられた（4-6）。

艇庫は海上のカッターを吊り上げてから、走行クレーンを用いて格納するもので、海上に艇庫が設置されることにより海面から直接船を搬出入することが可能となった。そのため、斜路などの整備が不要となった。海の上に建物を建設するということは、島という限られた面積の中では苦肉の策と捉えるべきか、それともごく自然に考え出された方策なのか、こうした考え方は土地の少ない海岸縁では、他の地域においても見ることができた。こう考えれば生活の知恵なのかもしれない。弓削島ではこれまで物揚げ場などの簡易な建屋を海上につくる習慣があった。[5]

4-3

海の上に建てたい

能美海上ロッジ

能美海上ロッジのある広島県江田島市《えだじま》は、現在は江田島・能美島といくつかの島々からなる市である。もとは広島県佐伯郡に属する町であり、当初は「能美町海上ロッジ」と呼ばれていたが、今は「能美ロッジ」となっている。この能美町では、1960（昭和35）年代に入り高度経済成長の恩恵を受けて国や県からの財政上の支援が増えることにより、公共施設の建設が活発化した。そのため、江田島湾にある砂洲の先端につながる岩礁「トトウガ鼻」景勝地の周辺の海岸線では、海水浴場の整備計画や宿泊施設の計画などが検討されていた。当時は1956（昭和31）年に制度化された国民宿舎の建設が全国的にブームとなっていた。能美海上ロッジが建設された1967年には、全国で25件の国民宿舎が建設された。この頃はモノの豊かさに溢れ、社会全体が余暇善用の時代であり大型レジャー到来の時代でもあったが、宿泊観光地の整備は停滞していて今日ほどには進んでいなかった。

そのため、国民宿舎は、国立公園、国定公園、都道府県立自然公園、国民保養温泉地などの豊かな自然環境の景勝地に、国民の健全な保険休養のための場を与え、もって国民生活の福祉の向上と健康の増進を図ることを目的として、地方公共団体が設置運営する公共の宿を整備しようとするものであった。能美町でもこの機を生かし瀬戸内海国立公園に指定されていたため国民宿舎を建設する計画が進められた。ただ、宿舎の建設にあたって、当時の町長川崎一男の考え方にはこだわりがあった。

町長は、ただ単に町に国民宿舎を誘致して、建てれば良いという単純な考え方をもち合わせてはおらずに、建物を建てるうえで通常求められるような、人目を引くデザ

4-7　能美海上ロッジ　マスレジャーの到来を背景にしながら厳島信仰に基づき町長の肝いりで海の上につくられた

イン意匠での斬新なモノを期待するものでもなかった。町長の求めたものは、国民宿舎そのものが地域性を反映した特徴をもつ建物であって欲しいとする思いであった。

能美町のある江田島は1888（明治21）年に海軍兵学校が東京築地から移転して以来、江田島は海軍兵学校ゆかりの地として知られてきたが、厳島に隣接する土地柄からか、昔から彼の地には厳島信仰が根付いていた。そのためか、建物は宮島にある厳島神社への思いが強く、海の上に立つ建物のイメージの継承に思いを馳せていた。そして丁度この頃、瀬戸内海を挟んだ対岸の四国愛媛県松山市の沖合の鹿島に町長が思い描くような国民宿舎が、海の上に建てられていた。このため、先を越されたという思いよりも、これを参考にすることで海の上に国民宿舎「能美ロッジ」を建設しようとする思いがよりいっそう募り、その実現化に向かった（4-7）。

能美海上ロッジは、広島湾内の江田島湾奥の「トトウガ鼻」と呼ばれる岩礁のある場所で、陸地との間の水域は比較的浅く、地盤も岩盤のためこの場所が選ばれた。江田島湾は水深10メートルほどの浅い海域であり、ロッジの立つ汀線付近から延びる「トトウガ鼻」の岩礁により、外海となる瀬戸内海とは隔てられ、閉鎖性海域である瀬戸内海内にあって、さらに微小な湾内になるため、潮流や波浪の影響はほとんどなく、潮汐作用だけが作用する。このため、建設工事では引き潮のときに施工ができるような段取りが組まれて進められた。

1967年に竣工した建物は、鉄筋コンクリート造2階建てで、基礎構造形式は有脚（杭）式すなわち高床式であり、汀線に立っているため、満潮時には床下は水面になる。そのため、厳島神社の社殿のように見えないこともない。これが町長の期待した建物の姿なのかもしれない。建築物は入口のみが桟橋で陸域と接している。そのため、建築物の住所には番地がなく、住所は「広島県江田島市能美町中町　地先」と表記される。建築物全体が海の上に立地していることから、住所に番地はなく、地先までしか表記されていない。これも鹿島の国民宿舎と同じである。

現在、ここを利用する宿泊客や観光客は、その6割が広島県内から訪れている。アクセスは自動車利用者が大半を占めているが、県外から訪れる客は、関東圏や関西圏からヨットやモーターボート、クルーザーを利用したセーリングやクルージングで海から訪れる客も多く、海上ロッジはまさしく海の上の宿泊施設として稼動してきた。[4]2017（平成29）年4月には施設の老朽化により休館し閉鎖された。跡地には新たなホテルが計画されている。

4-4

土地が海に沈んだ

寺泊水族博物館

寺泊《てらどまり》水族博物館のある新潟県長岡市寺泊地区は港町として発展してきた地域で、北陸街道の宿場町でもあり、かつ日本海に面した古くからの港町としてその名が知られ、出雲崎とともに重要な役割を果たしてきた。町のある場所は地盤が悪く海面よりも土地が低いいわゆる海抜ゼロメートルと呼ばれる地帯であり、新田開発や治水事業が頻繁に行われてきたため、もともとの陸地部分と水域との境があいまいな地域となってしまっていた。町内を流下する島崎川流域にある集落は洪水被害に悩まされながらも沖積平野を開拓し、ほそぼそと農業を営む傍らで漁業と製塩業を営んできていた。

現在の寺泊水族博物館が立地している海岸地区は絵図にも描かれているが、やはり埋め立て造成でつくり出されてきた場所であった。この埋立地は、もともとは長岡鉄道が寺泊まで延伸され開通する際に、鉄道と港湾施設を結びつける目的も加味され、港内引込み線が計画されることで１９１４（大正３）年から埋め立て造成工事が進められてきた埋立地の一部である。

しかし、埋め立て造成が完了した後の１９２４年頃、この場所では地盤沈下がはじまり、さらに日本海側特有の流れの速い沿岸流の影響を被ることで海岸侵食が進み、双方の影響を受けることにより、長い歳月をかけてようやくつくり出されてきた埋立地であったが、いとも簡単に消滅してしまった。そのため、現在、海の上に立っている寺泊水族博物館の立地している場所には、海の底にもともとの敷地としての土地が沈んでいる。一見すると、海域でありながらも陸上の土地と同様に番地をもつ場所となっており、「海没地」となっている。寺泊水族博物館の配置図を見ると海域なのに

「隣地境界線」と記された線が書かれていて、これは誤記ではなく、れっきとした境界線であることから番地のある海域（土地）となっていることがわかる。

寺泊町（当時、2006年に長岡市に編入）では、1970（昭和45）年頃から大きな変革期を迎え、同年の弥彦山《やひこやま》スカイラインの開通や高速交通網の整備により、関東圏の海のない県からの日本海への関心を高めるきっかけとなった。年を追うごとに観光客は増加し、77年には150万人を超える観光客が訪れる一大観光地となり、多くの関連施設が建設された。こうした動向を受けて、78年に寺泊町長に就任した中島甚一郎は、もともと町の総務課長や助役として一貫して町行政を歩むことで、積極的に町政振興の施策の推進に取り組み、老朽化した寺泊水族館の一新についても計画を推進し、83年に3代目としての寺泊水族博物館が建設された。

彼の地の水族館の歴史を振り返ると、まずは1931年に初代水族館が開館し、その後52年に2代目水族館が開館し、現在の水族館は3代目の水族館となる。初代の水族館は、現在の水族館に併設されている駐車場の場所に立地しており、「上越線全通記念博覧会第二会場」として建設された。これは当時の寺泊実業協会会頭の外山甚兵衛を中心にして水族館設立実行委員会が組織され、総工費1万325円48銭をかけて建設されたものであった。この上越線は寺泊と長岡市内とをつなぐ鉄道であるが、この上越線が全線開通した9月1日を挟み込むように「上越線全通記念博覧会」が8月21日から9月30日までの約40日の間、上中島町（水道町3丁目）の水道水源地付近を第1会場、寺泊町（当時）の水族館を第2会場をとして開催された。会場の総面積は7603ヘクタール、約20の展示館が設けられ、期間中には周辺各地を含み全国から約63万人もの入場者を集める一大イベントとして大成功をおさめた。その後、太平洋戦争がはじまると水族館の建物は青年学校へと転用され、このことをきっかけとして水族館は閉館の憂き目に曝されることになった。

終戦後の52年になり、初代水族館が立地していた場所から800メートルほど北側の離れた場所に2代目水族館が建設された。この建物は2階に売店が設けられ夏場になると販売されるアイスクリームが当時は人気の的となった。水族館内はタイルの張られた水槽の中に魚類が展示されたが、これら魚の多くは地元の漁師が漁の途中で見つけたり、網に掛かっ

4-8　寺泊水族博物館　水没してしまった敷地に新たに建てられた水族館

た珍しい魚を積極的に水族館が買い上げて展示したものであった。

2代目水族館が開館後31年間を過ぎて、施設の老朽化が目立ちはじめたことで、83年には新たな建物を建築することが決まり、建設場所が初代の水族館が立っていた場所とすることが決まった。これは海没した敷地のある海域を使うことにより、そのことが「海の町寺泊」を強く印象付けることにつながると考えられたためであった。加えて、水族館を内外にPRするために特徴的な建築物にすることがさまざま検討されることで、建物の形態は八角形にデザインし、その建物を寺泊町の海岸地先の海域の海の上に設置し、陸域とは通路でつなげるなど、これまで、どこにもなかった海の上の水族館にすることが目指された。

この建物はRCの4階建てで、この中に430種、1万2000点の世界の水族が35の水槽に飼育展示された。こうしたアイデアは全て町長の街への思いを反映した発意から生み出され、「寺泊町立水族博物館」（4−8）が海の上に完成し、85年には博物館登録がされた。

今は寺泊町が2006（平成18）年1月1日に長岡市

に編入されたため、新潟県長岡市の日本海の地先海上に立つ「寺泊水族博物館」と名称変更がなされた。敷地面積は、陸域海域合わせて3万989平方メートルほどあり、その内海域部分の面積は2万3124平方メートルを占め、ここに水族館が立ち、まさに海の中（上）に立つ建築となっている。[6]

4-5 軟弱な地盤

下田海中水族館

下田海中水族館は、静岡県の伊豆半島突端部にある下田湾内の下田港のさらに奥にある和歌ノ浦湾に設置されている。下田湾は太平洋に面した海域のため海象条件の影響を受けやすく、荒天時には波浪が発生しやすい開口性の湾である。ただし、湾奥にある和歌ノ浦湾には波の影響は達しない。下田港は江戸時代から江戸と大坂を結ぶ船舶の寄港地として繁栄し、年間3000隻ほどの千石船の入港があり、江戸末期の1854（嘉永7）年にはペリー提督率いる黒船が来航し、日米和親条約が締結されることで、後に下田港は函館港とともに開港され、外国船への薪炭・食糧・水の補給基地となった。その後、1933（昭和8）年には東京湾汽船（現・東海汽船）が下田～大島間に客船を就航させると観光港としての繁栄を見せた。しかし、1945年の第2次世界大戦の当時、戦況劣勢により本土への連合軍の侵攻が進むことに備え、陸軍では潜水輸送隊、海軍では第16突撃隊と第6海龍隊が編成され、これら特攻兵器の基地はこの当時、九州の鹿児島・宮崎、四国の高知、本州の伊豆と房総半島において集中的につくられた。伊豆半島でも和歌ノ浦やその周辺の海岸部や入江につくられたが、これらの湾は波静かな場所で、特攻兵器「震洋」や「海龍」を配備するには都合がよく、「本土決戦」に備えて基地が建設された。敗戦後は占領軍によって特攻兵器は次々に破壊処理された。伊豆半島におかれた特攻基地や兵器は現在の和歌ノ浦の水族館駐車場の左右の山々が兵器格納庫として使われ、現在もその当時に掘られた壕が残されている。2015（平成27）年8月には下田港沖須崎付近で「海龍」とみられる特攻用潜水艇が発見された。

下田は戦後再び観光港として復興した。1955年頃には全国的に余暇を楽しむ観光・レクリエーションが脚光を浴びるようになり、61年には伊豆急（伊東〜下田間）が開通することで観光客が増加、下田にとっては第2の黒船来航とも呼ばれた。その後、有料道路の開通とも相まって観光客の流入は年を追うごとに増加していき、61年の100万人余から、翌62年には300万人に増加し、67年には500万人を優に越えるようになった。この観光ブームによる観光客の増加は、それまでの下田の町の様相を一変させるようになり、旅館やホテルなどの宿泊施設が次々と建設された。周辺の漁村でも夏期の海水浴客を目当てにした民宿ブームが起き、現金収入の道が開かれていったが、その一方で観光と競合する漁業や農業など第1次産業が衰退の憂き目にあった。

伊豆急開通と同時に下田の海が一望できる標高156メートルの寝《ね》姿山《すがたやま》までの下田ロープウェイが完成したが、鉄道開業により下田を訪れる観光客はさらに増加することが予想された。そのため、その動向に合わせて、下田の海を使った新しい観光拠点の開発整備が模索された。

こうした急激な下田の観光振興が進む中で、下田海中水族館の計画構想がはじまり、着々と、そして静かに推進された。そして、1967年3月にはわが国初となる浮かぶ下田海中水族館「ペリー号」が開業した。

この構想は、当初は下田湾内の和歌ノ浦の湾域一帯を利用した天然の水族館をつくろうとする壮大な計画であり、1961年頃に「和歌ノ浦ファミリーランド」の事業名で計画案がまとめられた。当時の計画案では、湾内に短辺30メートル×長辺50メートルの楕円形の浮桟橋を浮かべ、それを網で囲い、その中にイルカを放して曲芸ショーを行い、桟橋の一端に海中景観が楽しめる海中展望塔を備えることで、湾内全体を天然水族館と化して、陸上には当時、最新鋭の江ノ島水族館などを参考にした人工水族館を併設しようとするものであった。

一方、この頃はわが国においても第1次海洋開発ブームが到来し、和歌山県白浜に世界初となる海中展望塔を開設する計画が発表されるなど、全国的に海に対する認識や関心が高まった時期であった。そのため、和歌ノ浦においてもさらに斬新な水族館にしようと計画の練り直しが進められることで、当初の計画案は白紙に戻され、全く新しい計画案が一から再スタートされることになった。そして、ようやく生み出された第2計画案では「海中浮遊式水族館」という、それまで世界中のどこにもなかった世界初の海に浮かぶ水族館が計画された。

この第2計画案は、通常の水族館とは全く違った考え方によるもので、和歌ノ浦の海の上に水族館そのものを浮かべようという計画であった。この浮かぶ水族館は波で流されないようにアンカーで係留された浮函（ポンツーン）の上に観覧場を載せて浮かせるというものであった。

この計画が進められる裏で、さらなる発展型の第3案が密かに計画されていた。この第3案は和歌ノ浦湾そのものを水族館にするというもので、湾を防波堤で仕切り、内側となる和歌の浦の海水を1度すべて抜き取り、そこに鉄筋コンクリート造の海中1階、海上2階の建物をつくり、その後に再び海水を注入し海中の窓から海の中をのぞき込む水族館の案であった。

この当時、すでに同じような考え方による建物が鹿児島の与次郎ガ浜につくられていた。その建物はまるで海の中に沈んでいるように建てられており、それが海中レストランとなっていた（現在は閉鎖解体されている）が、その規模をはるかに上回る大きさであった。

計画の実施に向かって、まずは和歌ノ浦湾内の海底地質のボーリング調査が行われた。その結果、海底面から岩盤までの間にヘドロ層が20メートル以上も溜まっていることが判明して、海中展望塔施設を設置するためには、この厚いヘドロ層を浚渫する必要のあることがわかった。このための工事費用は予定金額が膨大に膨れ上がることから、この計画は諦めざるを得ず頓挫してしまった。

第3案まで検討されながらも、どの案も困難な問題に直面し実現化がほど遠くなるなかで、「浮かす」案は捨てられることはなく、海底地盤の状況に頼らずにすむ「和歌ノ浦の海の上に施設を浮かべる」方策をいっそう発展させることになった。この「浮かす」といった奇策とも思える計画が検討されている最中に、水族館と同じ系列の客船会社が、客船を1隻退役させるという情報が舞い込み、この退役客船を再利用することで、浮かぶ水族館をつくり出せないかと急遽検討会議がもたれることになった。

このときの退役船は「全長40メートル、400トン、定員343名の鋼鉄船」であった。この船を和歌ノ浦に浮かべて、船の上部甲板の二等客室階に魚類を入れた置水槽を配置して飼育展示ホールとし、水面下の下部甲板の機関室のエンジンを取外した後に舷側にガラス窓を取り付けて水中観覧ホールとし、最上階プロムナードデッキの客室はレストランにするという大規模な改修転用計画が議論された。これがつくられていれば、世界初の浮かぶ海中水族館が誕生するところであった。

客船の改修計画が具体的に進められて行くと、次第に客船の水族館への転用を阻む困難な問題が噴出してきた。それは、水面に浮かぶ船体の中に、水の入った水槽を置くと船体が揺れて水槽の中の水が共振現象を起こして、船体はさらに大きな揺れになることが判明し、転用は不可能との結論に至り中止せざるを得なくなった。

4-9 アクアドームペリー号 下田湾の奥の和歌ノ浦湾に設置された浮かぶ水族館。写真は1993年に新造された2代目

その後、客船の改修転用による水族館計画ではなく、本格的な「浮かぶ水族館」を一からつくる計画が本決まりとなり、新たに水族館用の新造船を建造することが、1966年6月に正式決定した。「浮かぶ水族館」の船体は、円型で直径20メートル、水中1階建てで円型の大型水槽を螺旋階段で降りながら、水面、中層、海底の3つの異なった水の中を眺め楽しむことができる二重円筒形式の構造をもち、内筒の内部を観覧用の水槽とし、観覧客は外筒の内部から覗窓を通して水中を観覧する基本設計がまとめられた。

しかしながら、実際の設計段階になると、この浮かぶ水族館は建築物ではなく船の扱いとなるため、当時はまだ見たこともない、建築でも船でもないものを系列の開発会社が実施設計することになった。そして完成したのが「円型水中水族館」であった。

建造は地元の造船所へ発注された。船のようでいて、船ではない船体を建造することになり、「こんなものは初めてだ」という戸惑いが現場では口々に囁かれた。

1966年11月に着工開始され、3か月後の67年1月には黒船にちなみ、「アクアドームペリー号」（4-9）と命名された世界初の海中水族船が進水式を迎えた。建造のときとは打って変わり、現場からは誇らしい声が漏れ伝わった。進水式後には設置水域の和歌ノ浦に回航され係留され、内部仕上げ工事が施され、その後に開館した。

このペリー号に備えられた円型大型水槽には伊豆の海をテーマに50種4000点の多彩な生物が飼育展示された。和歌ノ浦湾内にはほかにイルカのショープール、ペンギンやアザラシ、ラッコなどが飼育展示された。

ペリー号は建築物ではなく、鋼製長円型非自航船（係留船）である（中部運輸局下田海運支局による船舶検査)。ペリー号へのアクセスは湾内に設けられた浮体式桟橋で陸域とは連絡されている。その後26年間可動し続け、1993(平成5)年には現在の2代目ペリー号にバトンタッチされた[78]。

4-6 博覧会の開催

マリゾン

「シーサイドももちマリゾン」は、福岡県福岡市の博多湾に面する人工海浜の地先に立地している。施設は「海に浮かぶスーパーデッキ」と呼ばれる、海をまたぐように設置された人工地盤と、その上に載せられた建物により構成されており、これまで複合利用されることのなかった船着き場、船溜まりなどの「海の施設」と、飲食、物販、文化施設などの「陸の施設」を海の上に立地することで、親水性を高めながら複合化した、当時の日本ではじめてとなる施設であった。このマリゾンが立地している「シーサイドももち」地区は、博多湾の埋立地に建設される敷地規模が138ヘクタールの住宅開発を主体とした未来型の海浜都市として、「親水性の高さ」を開発の理念に据えることで、人工的な都市環境の無機質さを克服するために、大規模な人工海浜が整備された。

1977(昭和52)年に「第四次福岡市基本計画」が策定され、その中に「福岡市西部地域の新たな街づくり(海浜都市づくり)」が位置づけられることにより、シーサイドももち地区の埋め立て開発が計画された。シーサイドももちとは、埋め立て予定地の百道浜《ももちはま》の地名に由来して命名されたもので、この埋め立て造成は82年に着工され、86年9月に完了した。この完成を機に福岡市ではシーサイドももち地区の海浜部を利用した「アジア太平洋博覧会—福岡」を「福岡市制100周年記念行事」として開催することを決定し、89年3月から9月にかけて開催された。このアジア太平洋博覧会の開催に合わせてマリゾンが計画され、つくられた。同時に周辺地区には、福岡市博物館、福岡タワー、西部ガスミュージアムなどの施設もつくられた。

この埋め立て計画地にはもともと百道海水浴場があり、1955年頃まで夏場は海水浴を楽しむ市民らで賑わった。整備事業のはじまる頃には、都市化の進行による水質汚濁が進み、海での遊泳は禁止となっていたが、干潟として潮干狩りなどを楽しむことができ、野鳥の飛来する生息場所ともなっていた。そのため、埋め立て地区北岸一帯を人工海浜として再生整備することが計画された。百道の海岸線は、周辺部の海岸線の改変影響を受けることで、激しい浸食に曝されるようになり、そのまま放っておけばいずれ姿を消してしまう海岸線となっていた。そのため、沿岸流による浸食から海岸線を保護する対策を含め、海岸線に残されてきた松林の景観を復元するため、数千本の黒松が植樹された。これにより、人工海浜はかつての松林の景観を取り戻し、「白砂青松の大地」と呼ばれた良好な自然環境の回復維持と美しい景観が再生されてきた。

シーサイドももち地区の海浜部の造成整備が進む中で、「ウォーターフロントプロムナード・マリゾン」の構想が提案された。その後直ちに、福岡市および港湾建設業者によるプロジェクトチームが結成され、約1年半におよぶ議論検討がなされた結果、事業化に向けて、1987年10月に博多海洋開発株式会社が設立された。

88年1月には、運輸省港湾局からマリゾン設置にあたり、①博多港の港湾計画に位置付けること。②条例に基づいて許可を受けること。③建設・運営主体は第三セクターが行うこと、などが求められ、同年3月には資本金1億円の第3セクターが誕生した。

翌89（平成元）年3月、福岡市海浜公園条例が制定された。これを機にマリゾンの施設許可がなされた。そして、アジア太平洋博覧会の参加施設として集客対策に寄与でき、博覧会終了後には、海浜公園の利便施設として、市民に親水性に富んだ魅力ある憩いの場を提供できるなどの理由により、「ウォーターフロントプロムナード・マリゾン」は建設されることになり、「マリゾン」はシーサイドももちの「海から学ぶ」「海に親しむ」「海に望む」という3つの開発理念を具現化した建築となった。

このマリゾンは「アジア太平洋博覧会―福岡」（よかとぴあ）の出展パビリオンとして89年3月から9月まで利用された後、飲食、ショッピング、海洋スポーツ施設の複合海上商業施設として改装され営業が再開され、96（平成8年）年には海浜部の施設が一部拡張された。

海の上に立地する特性を生かし、船着き場、船溜まりなどの「海の施設」を飲食・文化・物販などの「陸の施設」と複合させることで、非日常的な空間の創出が意図されていた。

施設群は「海に浮かぶスーパーデッキ」をキャッチフレーズに、海と人工海浜に跨る人工地盤とその上部の建築により構成され、法規的にも下部の人工地盤は港湾法、上部の建築は建築基準法が適用されてつくり出された。このデッキとしての人工地盤は、産業用の船舶係留施設として一般的に利用されてきていた杭式桟橋が使われた。そのため、市民生活の場に利用できるように改修が施され、デッキを支えるための杭は、ここを訪れる来訪者が間近に眺められるようにあえて見えるようにすることで、この建物が海の上にあることを思い起こさせる仕掛けとして活用できるように工夫された。さらに、デッキの親水性を高めるためにデッキ部の天端高を可能な限り水面に近くなるように低く設けており、親水テラスは東京湾を基準とすると、博多港の最高潮位が2・84メートルで東京湾が0・99メートルのため、T.P.＋1・85メートルとなり、これよりも＋0・50メートルの高さで設定されている。そのため、年に数回、大潮時にはテラスが海水に洗われることがある。

マリゾンも開業後にバブル経済崩壊の余波を受けて営業が低迷した。このため、2003年に博多海洋開発株式会社の精算と解散が決議され、新たに設立された株式会社マリゾンに人工地盤上部施設の有償譲渡、福岡市に人工地盤の寄付が

4-10　マリゾン　「アジア太平洋博覧会—福岡」開催のパビリオンとして1989年３月に竣工した当時の姿

4-11　改修後のマリゾン　2003年にリノベーションされ結婚式場として業態転換された現在の姿

されることになった。

営業不振につながった要因は、強風や冬季の間の寒さ、台風などの悪天候時の利用者数の減少があった。そのため、天候などに左右されない「目的関連性の高い事業への業態転換」が検討され、２００３年７月、婚礼施設として再生された。結婚式場への業態転換に際しては立地特性を生かしたリノベーションが施され、屋根に高さを与えて凹凸による変化を加え、外壁や屋根の塗装も一新され、併せて耐震補強工事も実施された（4－10・4－11）。

また、マリゾンの成立要因としては、１９８０年代前半に神戸の「ポートピア'81」が開催されたことをはじめとして、全国的な地方博覧会開催のブームが後押しする形となり、さらに各地の博覧会においても「海」がテーマとされてきたことがあげられる。89年には横浜や広島でも博覧会が開催されてきたが、このときは、折しもブームとなりはじめていた「ウォーターフロント」との相乗効果が巻き起こることで、海への関心はたいそう高まり、非日常性を演出するまばゆい姿の海洋建築物が数多く建設され人気を呼んだ。[9]

H.M.S.とフローティング・アイランド

海に関係した博覧会において、海の上にはじめてつくられたパビリオンは、１９７５年の沖縄海洋博覧会の「アクアポリス」であり、これを皮切りに、その後、国内各地で開催されてきた「海」をテーマとした博覧会においても各種の海洋建築が展示出品されてきた。

その後の動向を見てみると、81年3月20日から9月15日まで、神戸港に誕生した人工島「ポートアイランド」において国内の地方博覧会としてはじめての「ポートピア'81」が、「新しい〝海の文化都市〟の創造」をテーマに開催された。87年8月には大分県別府市の別府港に退役したクルーズ船を係留した「マリーン・ミュージアム ＳＳオリアナ」が開園した。当初はフローティング・ホテルとして計画されたが、地元の旅館組合の反対によりミュージアムとなった。係留当初は別府港のシンボルとして親しまれたが、年々入場者が減少することで95年3月に営業は終了された。その後は中国に売却され、２００５年に解体された。
89年2月には横浜市制１００周年・横浜港開港１３０周年を記念した「横浜博覧会YES'89」が、現在のＭＭ21地区で開催され、「海のパビリオン」が出展された。同年3月から9月まで福岡市制１００周年記念行事としての「アジア太平洋博覧会―福岡」（よかとぴあ）が開催されたなかでパビリオンとして「マリゾン」が建設された。次いで4月には広島県沼隈《ぬまくま》郡境ガ浜で「'89海と島の博覧会 ひろしま」が4か月の会期で開催され、「境ガ浜フローティングアイランド」が出展された。

１９８９年は地方博ブームが頂点の時期であり、海に対する関心も非常に高く、その機運を演出するような海の上のパビリオンが相次いで建てられてきた。構造形式も浮体式が盛り込まれることで、空間形態も多彩さが豊富になった。これら海の上の建築の中で「マリゾン」以外を見ると、横浜博では海洋土木工事会社いわゆるマリコンの合作による、「海のパビリオン」が出展され、「海と子供たち」をメインテーマに横浜港の雰囲気を醸し出し、ウォーターフロントの賑わいを創出する空間と銘うちつくられた（4-12）。

このパビリオンは当時の運輸省第二港湾建設局が開発にあたり、H.M.S.（ヘキサゴン・マリン・ストラクチャー）「組立式多角形浮体構造物」と呼ばれた。平面形状は6つの台形ユニットのプレストレストコンクリート製のポンツーン・ユニットを個々に製作し、海上で接合することにより、六角形状にしたものであり、大型の施工機器やヤードを必要としない施工性の容易な構造物で、多方向からの波に対しても安定性があること、中央部に形成される静穏な内水面の多様な利用が図れることなどが特徴で、外周部は係留施設としてボートやヨットの係留が可能となっていた。

「YES'89」に出展のため、実証実験は数年前から行われていたが、その場所は海ではなく猪苗代湖で実施されていた。当時、猪苗代湖はコースタル・リゾート開発計画が検討されており、その中心施設としての役割を果たすことが期待されていた。

また、同じ年の4月には広島県沼隈郡境ガ浜で「'89海と島の博覧会 ひろしま」が地方博ブームの中で開催され、それ

4-12　海のパビリオンH.M.S.　1989年に横浜市制100周年・横浜港開港130周年を記念しMM21地区で開催された「横浜博覧会YES'89」に出展

4-13　境が浜フローティングアイランド　1989年「海と島の博覧会　ひろしま」のパビリオンとしてオープンした当時の姿。浮函内部にはムービングベルトを備えた大型水槽を配し、上甲板上にはパルテノン神殿を模した列柱があった

に参加するかたちでフローティングアイランドが竣工した。

フローティングアイランドはマリンパーク境ガ浜の拠点施設の1つとして地元の常石造船が建造したもので、規模は長さ130メートル×幅40メートルほどの浮函であった。

マリンパーク境ガ浜はマリーナを中心とした海洋リゾート拠点の形成を目指しており、その中でフローティングアイランドは重要なゾーンを担い、浮消波堤としての機能をもちマリーナの内水面の静穏化をするとともに、巨大な内部空間と上甲板を利用することで、内部には大水槽のある水族館や小劇場、ギャラリーが設けられ、上甲板には300人ほど収容できる屋外劇場や広場が30本の円柱で囲まれるように構成されていた。ほかには階段デッキや円形構造物が据えられていたが、これらはすべて白一色に統一されて塗装された（4-13）。1992年3月には広島県呉市に「呉ポートピアランド」が開園し、海上のアミューズメント施設として内部が6層に分かれ、劇場やレストランなどが設けられた浮体式（係留船）の「エストレーヤ」が建造された（この船は当初は廃船の活用が予定されていたが、新造船となり初期投資を増大させた）。ただ、本体のテーマパークが98年8月に休園し閉園することで韓国に売却された。

この境ガ浜フローティングアイランドはブームの終焉後長らく閉鎖されていたが、2016（平成28）年に大規模な改修が施され、これまでの内部外部空間は全て撤去されることで、広い甲板が生み出され、水上飛行機用の昇降装置をもった浮かぶ格納庫として再利用されるようになった[10][11]（4-14）。

4-14 瀬戸内シープレーン水上格納庫 フローティングアイランドは博覧会終了後の営業の後、閉鎖されていたが2016年にリノベーションされ広い甲板が生み出され、水上飛行機用の昇降装置をもつ浮かぶ格納庫となった

4-7

戦争時の海軍軍事施設

回天発射訓練基地

山口県周南《しゅうなん》市大津島《おおづしま》には、近代建築としては最も古いであろう海洋建築物が保存されている。これは海軍の軍事施設として1939（昭和14）年に魚雷発射試験場として海上に建設され運用されていた。しかし、その後戦況が慌ただしくなる中で、人間魚雷の回天発射訓練場（場）基地として改築されて使われるようになった。この軍事施設は現在、史跡として保存され、2006（平成18）年には社団法人（現・公益社団法人）土木学会が「選奨土木遺産」に選定した。

この回天発射基地は、山口県周南市の徳山下松港から約10キロメートル沖合の瀬戸内海にある大津島に設けられており、現在はフェリーが島への観光客を運んでいる。フェリーの発着場は東側の海岸に設置されているが、島は当時のままに保存され、この陸域部には整備工場などの各種施設はそのまま残されてきている。西側の山裾にはトンネルが掘られており、その先の桟橋と結ばれ、海上の魚雷発射試験場へとつながり、魚雷の運搬搬入には敷設されたトロッコレールが使われていた（4-15）。

しかし、1944年に特攻兵器「人間魚雷回天」が開発され、その乗員訓練のための基地として魚雷発射試験場が転用された。試験場の設置された海面は本州側からは島影によって遮られるために中の様子を望むことはできず、軍事機密を保持する上では絶好の条件を備えた場所であった。

当初、海上に設けられた魚雷発射試験場の建物は、島の海岸から60メートルほど離れた水深8メートルの海面上に2階建ての発射試験場兼監視所として平屋建ての整備工場と魚雷の装填用の上下架用クレーンが設置されていた。監視所の床面には2つの

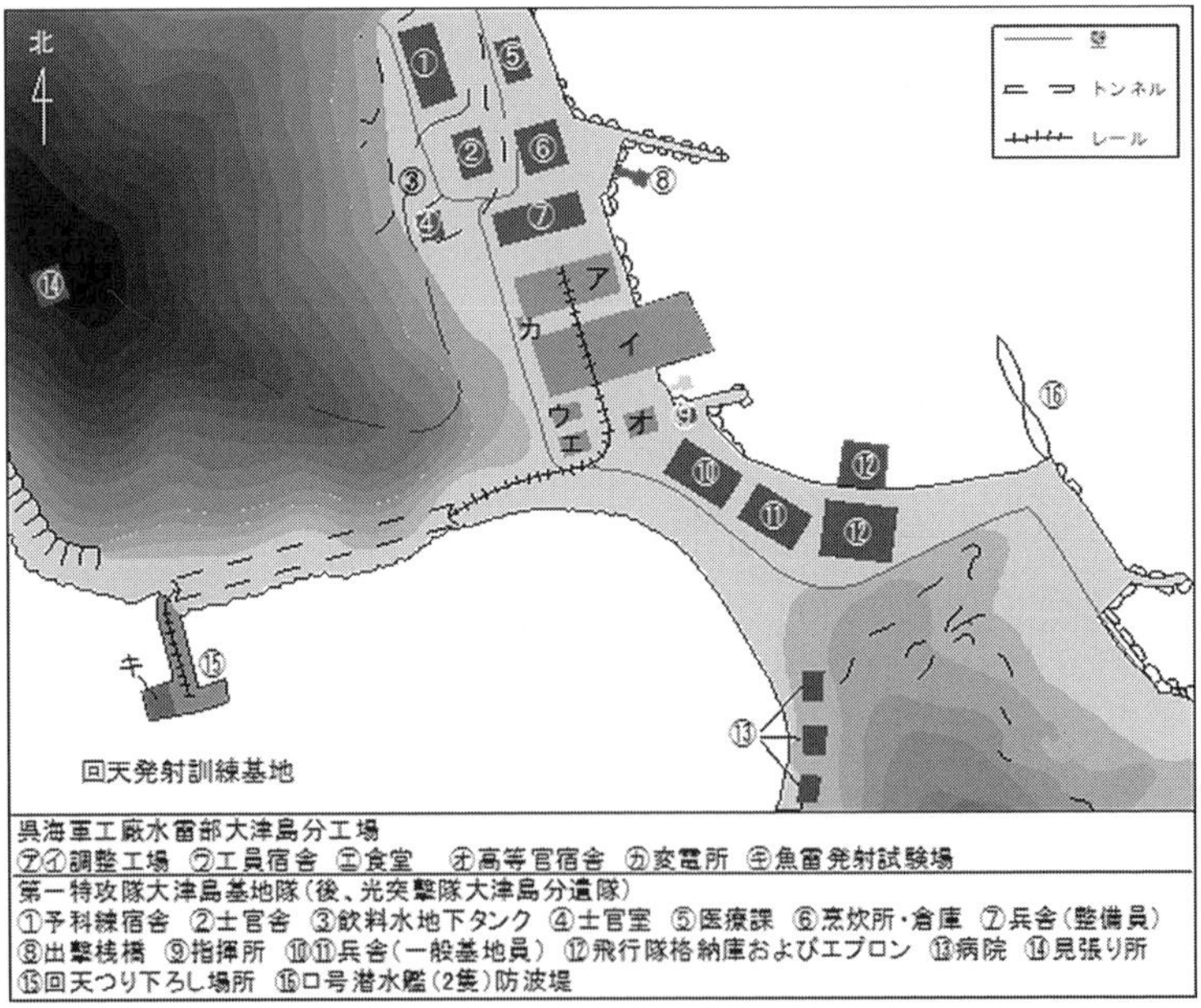

4-15　回天発射訓練基地配置図　山口県大津島につくられた回天発射訓練基地（出典：山本慶「海洋建築物の立地特性と建設経緯に見る『海』の位置づけに関する研究」日本大学大学院 修士論文 2008年度）

魚雷昇降口が開けられ、ここからクレーンを使って九三式酸素魚雷が海中に降ろされ発射試験が行われていた。

　回天は、九三式魚雷よりもひと回り大きいため、魚雷用の昇降口ではなく上屋の正面に位置する岸壁からクレーンで水面に降ろされて訓練が実施されるようになった。帰還は島の東側に設置された整備工場に据えられた岸壁に着岸するようになっていた。ここでの回天の乗員訓練は訓練基地を起点にして、大津島の南の海域にある馬島を回って整備工場前に戻る南回りコースと北回りコースおよび調整工場前を往復するコースの３つを中心にしながら状況に応じた訓練コースがその都度設けられた。訓練後には乗員は全員が全国に配備された12か所の軍事基地に配属された。

　日中戦争の開戦を機に国家総動員法が施行され、国内では軍事的色彩が強まることで、１９３７年には、海軍が全国の主要な海岸に魚雷発射場を配備することを決めた。その中の１つに山口県徳山市の沖合に位置する大津島があった。

この島は周防灘に面して四方を海に囲まれ平地が少なく山地で覆われており、周辺海域は島の近傍でも水深30メートルに達し、その一方で呉海軍工廠《こうしょう》にある全国唯一の魚雷実験部とは至近距離にあったため、島という地理的・地形的特徴が魚雷発射試験場を設置する上では好条件となっていた。その上、島の周辺海域を通過する航路もなく、島は大部分が山地に覆われ、標高164メートルの山があり、かつて石材業が盛んであったことから、石切り場跡が崖になっており、島への立ち入りは難しく、機密保持には適していた。そのため、地の利を生かすことで水雷部の出先機関として設けられた魚雷発射場は、試験場へと転用されることになった。また、海岸は岩石海岸で、北側の水深は14～17メートルと比較的浅いが、南側の水深は29～32メートルの深さがあり、南西方向の水深は25～31メートルの深さがあった。周辺海域の潮流は、岸から南西方向へと離岸する流れがあるなど、魚雷発射試験を行う海域としての条件がそろっていた。

この頃、日本海軍には世界最高性能を誇る高圧酸素を原動力とした九三式魚雷があった。50ノットの速力で、射程距離22キロメートル、36ノットでは射程距離40キロメートルという驚異的な性能を持ち、純酸素を原動力とすることで、排出されるのは水蒸気だけとなるため海水に吸収され航跡がでないという長所があった。しかし、航空機やレーダーの発達により出番はなく、何百本もの魚雷は使われることなく倉庫に眠っていた。そのため、この魚雷を改造して特攻兵器をつくることを2人の海軍将校が軍部に提案した。

しかし、当時の海軍では、東郷平八郎《とうごうへいはちろう》元帥の遺訓を受けて創設以来、隊員が生還する道のない「必死」の作戦や兵器は認めないとしていたが、戦局の悪化により3艇の試作が極秘裏に進められた。秘匿名で「〇六金物一型（マルロク金物）」と呼ばれていたが、1944（昭和19）年8月1日には、軍の最高機密として正式兵器に採用されることになり、「天を回らし戦局を逆転させる」という意味で「回天」と名づけられた。もともとは幕府末期に建造された幕府軍の「回天丸」から取った名称であった。

その後、長崎県川棚の水雷学校臨時魚雷艇訓練所で訓練教育を受けた第1期魚雷艇学生（兵科3期予備学生）の中から14人が回天乗員として選出された。そして、終戦までに回天は420基建造され、訓練を受けた乗員は総計1375人にお

4-16　選奨土木遺産になった回天発射訓練基地　2006年に史跡として保存された。当時の最先端の技術をもって建設された。大分別府港から海上曳航でケーソンが運び込まれた

4-17　回天発射訓練基地　当初は魚雷発射訓練基地であったが、後に回天訓練基地に改装された

よんだ。この乗員は回天が航行中は外を見ることはできずに計器を頼りに潮の流れを計算しながらの操縦が強いられた。そのため、主に航空パイロットの中から選ばれた。

「回天」の兵器採用決定に合わせて呉海軍工廠に回天の生産命令が発せられ搭乗員募集の傍ら、整備員の訓練と戦闘員の準備も急がれ、大津島の魚雷発射試験場は回天の乗員訓練基地へと転用された。こうして山口県中部の阿多田《あたた》半島から徳山沖に至る瀬戸内海沿岸部は人間魚雷の訓練水域となっていった。その後、大分県速見郡日出町にも大神回天基地・大神突撃隊がおかれ別府湾での訓練がはじめられた。

回天発射訓練基地となる前の魚雷発射試験場は、基礎構造は8基のケーソンで構成されており、1基は10メートル×7メートル×12メートルの規模で700トンの重量があった。試験場と陸域を結ぶ桟橋も5基のケーソンが用いられ1基、5メートル×4メートル×5・2メートルの規模の72トンの重量であった（4-16・4-17）。

この基礎部を構成するケーソンの製作は、九州大

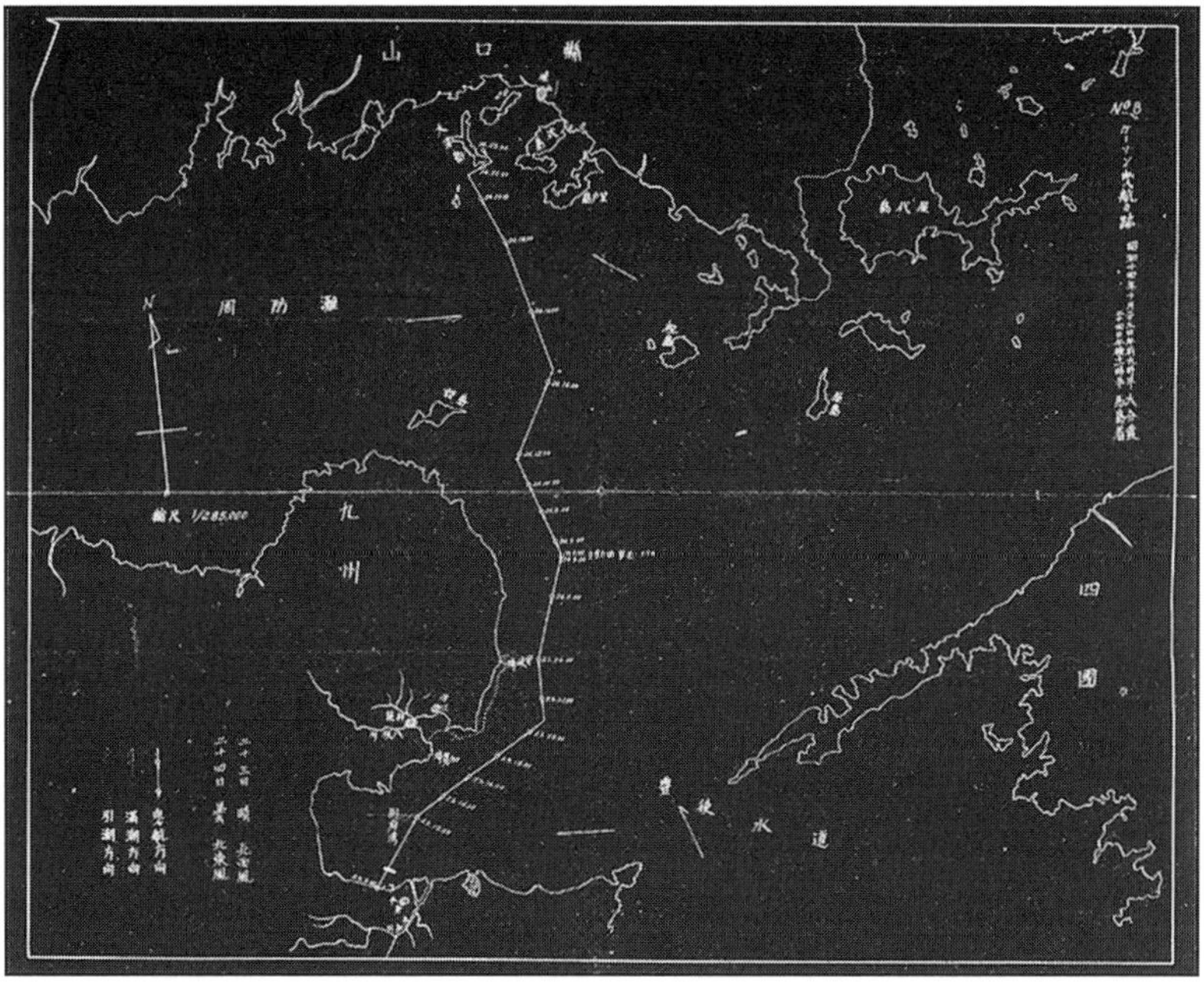

4-18　回天発射訓練基地配置図　別府港からのケーソンの海上輸送ルート　おおむね1日半で海上輸送された（出典：周南市教育委員会生涯学習課提供資料）

分県の大分港に設けられた内務省大分築港事務所のケーソンヤードで１９３７年に製作がはじまり、38年から大津島に１基ずつ順次曳航され、設置開始から1年後の39年に全ての設置が完了した。８基の大型ケーソンは大分港から大津島の現場までは約１日半かけて曳航され、５基の小型のケーソンは現地で製作された。当時は一般的に軍の施設や土木工事はその所属する組織内に建設部門などの組織がおかれ、それらが工事を担当してきたが、魚雷発射試験場では呉海軍工廠の施設であるのにもかかわらず、大分築港事務所で製作された。その理由は、当時、大分・山口の両地域は内務省下関土木出張所の管轄内にあり、大分港は32年に防波堤や護岸整備が行われることで、大型のケーソン製作ヤードやクレーンなど建設重機などの最新設備が揃っており、これらの設備は日本国内で製造されたものは当時はなく、海外からの輸入に頼っており、32年から内務省の直轄工事が行われていた大分港にはこうした設備が整えられていた。また、大分から大津島までは１つのケーソンを約30時間程度の曳航で運搬することができた。さらにケーソン製作時に用いられた斜路式のケーソンヤード技術が、１９２１（大正10）年に内務省小樽築港事務所にて開発され、優れた技術力が保持されてきていた（4－18）。

当時からケーソンを製作し土木工事に使用することは、世界中で行われていたが、その1つに小樽で開発された斜路を利用した方法があった。海中へ投入する方法はいくつかあった。その1つに小樽で開発された斜路を利用した方法があった。加えて、石灰石の積出し量が豊富な津久見港が近く、材料の入手が容易であったことがあげられる。大分港の南には現在でも石灰石が豊富に採掘されている津久見がある。津久見では江戸時代より、石灰石の積み出しが盛んに行われていたことから、回天発射訓練基地に使用された大型のケーソンを製作する際の材料を得ることが安易であった。

戦時中、各地に建設された回天発射基地は、東は千葉県の小浜から南は八丈島、西は九州鹿児島の内の浦の全国19か所に配備された。こうした基地は、現在は軍事的史跡や歴史的遺産として見ることができるが、その立地状況を見ると、長崎県川棚の海岸や静岡県沼津市淡島など閉鎖性湾の湾奥の入江に残されている場合が多く、地理的条件を巧みに利用していたことがわかる。

静岡県下田市の下田湾や沼津市淡島では、戦時中に特攻兵器が隠されてきていた場所は、現在では静穏度の高い湾域の特性を利用して、余暇施設として海中水族館やリゾートホテルなどが立地する観光地として、平和産業に貢献する人気の場となっている。[12]

4-8

人工海水浴場 浮かぶ

忠泳館

1885（明治18）年、神奈川県大磯町の照ヶ崎海岸において医師の松本順《まつもとじゅん》が、わが国初となる近代海水浴のための海水浴場を開設した。しかし、この記念すべき日は関係者の期待とは裏腹に海水浴客の入り込みはごくわずかという惨憺たる状況であった。この状況を打開するため、松本順は土産物の饅頭販売や新橋、横浜などの駅前で自ら海水浴を解説した本の販売を行い、さらに照ヶ崎海岸を舞台にした歌舞伎の上演など、あらゆる手を尽くし集客に努めた。その努力が功を奏して翌々年になると東海道線が横浜から国府津《こうづ》まで延伸されたことなどの追い風も味方して多くの海水浴客が押し寄せるようになった。この頃の海水浴客は一般人というよりも富豪や当時ハイカラと呼ばれた欧米文化に馴染んだ社会階層の人々がおっかなびっくりしながらも海に浸かるといった具合であった。その後は驚異的な勢いで全国各地の海岸に海水浴は普及していき、老若男女を問わず夏場に海水浴を楽しむ人々が増えていった。

同じ頃、神奈川県内の横浜方面では横浜港に入港する外国船の船員が山下や三渓園、根岸、富岡などで海水浴を楽しむ姿が増えていった。それを地元住民らは当初奇異なものを見るように遠巻きに眺めていたが、次第に自らも海水浴を楽しむようになり海水浴場は増えていった。その後、海岸部の埋め立てや人口増による市街地拡大など都市化が進行することで、海に流入する生活廃水も年々増えて、海岸縁の海水の汚れが目立つようになった。このことに起因して、汚れた海から逃れてきれいな海で泳ぎたいが、そのために遠くまで行くのは嫌だといった声が囁かれるようになった。

そこで考案されたのが「忠泳館」であった。横浜でも陸域に近い海岸あたりは汚

4-19 忠泳館 今から120年ほど前の1898年に既に浮かぶ人工海水浴場として横浜港沖に係留された（出典：横浜絵葉書会）

れた海水となってきていたが、神奈川沖（現在の高島町貨物埠頭型山内町埋立地付近の海上）はまだまだ海の底が見えるくらいにきれいな海であった。高島町付近は現在の風景とは大きく異なり、この頃はすでに埋め立てられてきていたが、それでも鶴屋町付近（横浜駅裏あたり）はまだ入江で崖下まで潮が押し寄せていた。見晴らしも素晴らしく本牧の鼻（本牧岬）まで見通しがあり、紺碧の海に遠く浮かぶ船やカモメの飛びかう様は絶景であった。この海に1898年11月、600トンの達磨船を改造した浮かぶ人工海水浴場が登場した（4-19）。

丁度、弁天橋北詰（現在の中区）と神奈川碧海橋（現在の神奈川区役所裏付近にあった碧海橋）間を往復1銭で乗船できることから一銭蒸気と呼ばれる小船が行き交う航路上の中ほどであった。この一銭蒸気船と忠泳館は地元の木内回送店が経営していた。人工海水浴場は、もともと港湾荷役《にえき》に使われていた達磨《だるま》船を転用したもので、デッキには売店が設けられ船倉部分は海水プールとなっていた。海岸は埋め立てや汚れが進み、そこから追われた子どもたちが一銭蒸気船で忠泳館に集まり楽しむ場となり、子どもたちのあこがれの的となった。

1905年に、通行船の休止とともに惜しまれながらも姿を消していった。この時代に人工海水浴場を浮かべるという奇策か、とび抜けた発想をしたのは誰なのか不明である。[13]

第5章

海と陸との関係性を示すもの

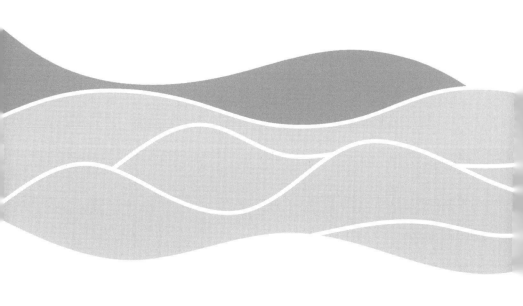

5-1

海岸線と汀線

海と陸との境界線

海に建築を建てる場合、最も重要になるのが海と陸との境界線をなす「海岸線」や、潮が満ちてくる満潮や潮が引いてゆく干潮のときそれぞれ変化する「海面の高さ」がある。建築を海に建てた場合、そこにどのようにしてアクセスするか、その建築の機能や用途によって陸とのアクセス路をどのようにするか、その取り付け方法の検討が求められてくるが、このアクセス路の設置される場所が海岸線になる。

海の上の建築が、杭式工法を用いて海面上に建てられている場合、海岸線との距離（隙間）がきわめて狭ければ、そのまま出入りできるが、距離があるときは、おおむね栈橋形式の通路が、海岸線となる護岸や海浜に設置される。浮体式工法の場合も、おおむね栈橋形式で接続されているものが多い。ただし、求められる機能や用途により、海の真中に建築が建てられている場合は、船やヘリコプターなどのアクセス手段が用いられる。

では、この陸域との接続の役割を果たすアクセス路の床面の高さや、その先に立てられた建築の床面の高さはどう決められてくるのか。それは潮汐作用による海面の動きや波高の観測に基づき、統計的に海面の高さが決められた後、安全性などを考慮して床面の高さを決めている。

ただし、近代以前の海の上に立つ建築は長年の海との関係性に基づく経験則を拠りどころにしているが、ある意味統計的な対応でもある。厳島神社では、平清盛と佐伯景弘の2人の海との経験則が生かされることで、海面すれすれの高さで廻廊を配することができ、今日まで海に浮かぶような姿を生み出すことができてきた。

海岸線と建築

地球は表面積の7割ほどを海が占め、残り3割ほどを陸が占めている。この両者の境界をなすのが海岸線である。海岸線はご存知のように砂浜もあれば岩場もあるし、沈降や隆起した海岸もあるため、詳しいことは専門書に譲りたい。

この海岸線には海流や打ち寄せてくる波によって漂着するものが多々ある。どんなものが漂着するのかと言うと、その昔、漂着物は寄物と呼ばれ、大木のない土地では寄物としての流木を拾い集め家が建てられた。寄木《よりき》神社と呼ばれる神社が東京都品川区にあるが、この神社は寄物としての流木を寄木と呼び、神にまつわる「木」として尊びそれを拾い集めて建立された神社とされる。寄木神社はほかに福島県相馬市磯部、神奈川県平塚市、静岡県袋井市・磐田市、和歌山県熊野市須野などにもある。福岡県の宗像神社では、本社や末社の社殿の修理には海岸に漂着した船の船材を用いるとされる。最近は越前クラゲが漂着したり、投棄されたペットボトルやプラスチックの破片から漁具漁網の類などが次から次へと数限りなく流れ着き、海洋生物や生態系への影響が懸念されるほどに深刻さを増す状況となっており、世界的な環境問題ともなってきている。こうした漂着物や塵芥は台風や強風の吹き荒れた翌日になると、海岸線の風景を一変させるほどに大量に打ちあげられる。

このため、漂着物を観察したり、標本にしたり、収集加工して楽しむビーチコーミングが密かなブームとなってきているが、塵芥の増加はビーチコーミングに浸って水平線を眺めながらロマンを楽しむ時間を奪い取る原因ともなっている。

今日、海岸線にまつわる環境変化はいたるところで勃発してきており、人々の海離

5-1　旧芝離宮恩寵庭園　庭園内には汐入の池が設けられ、海の干満作用に連動して池の水面が変化する

れに拍車をかける一因ともなっている。しかし、少し昔に時間を巻き戻して見ると海岸線に漂着するものは、今のように藻屑まみれなものばかりではなく、椰子の実とともに遥か遠い海の向こうの方の国から流れ着くものは人や文化や尊いものであった。このことは先述してきた通りである。まさに海岸線はヒトやモノやコトがわが国に運び込まれてくる玄関口でもあった。

この玄関口あるいは框の役割を果たしてきた陸と海の境界となる海岸線とは、いったいどんな場所なのかというと、まず、海岸は陸が海に接する部分であり、海により形づくられた陸域部分のことを指しており、海辺や渚、水際、汀なども呼ばれることがある。

海岸線とはこの陸と海との境界線のことを指し、汀線とも呼ぶ。周期的に日に2度生じる潮汐作用の満ち潮（満潮）と引き潮（干潮）により、海面が上下移動を生じることで海岸線の位置は刻々と変化する。

この潮汐作用を巧みに利用することで、時々刻々と表情を変化させる水面の風景を庭園に持ち込んだものがある。それが「汐入の池」と呼ばれるもので、隅田川の河口近くには比較的多くある。

河口近くの水面は、海の潮汐作用の影響を受けやすいため、江戸時代には豪商や大名がこの河畔や河畔近くに屋敷を建てる際、庭に海水を引き入れることで、汐入の池がつくられてきた。今日の浜松町の旧芝離宮恩寵庭園、汐留の浜離宮恩賜庭園、江東区清澄の清澄庭園、旧

5-2　浜離宮恩賜庭園　庭園内の汐入の池は海の干満作用に連動して池の水面が変化する

安田庭園として引き継がれてきている（5-1・5-2・5-3）。

この中には残念ながら今は汐入池ではなくなってしまった池もあるが、つくられた当時は東京湾の潮の満ち引きと連動して海水が出入りする池の姿がそこにあり、池面がときとともに刻々と変化する風情ある風景が愛でられてきた。横浜のＭＭ21地区には現代版の汐入り池がつくられ、訪れる観光客を楽しませている。

海面が上下に変化する潮汐作用において、潮が満ちる満潮時の境界線（海岸線）を高潮海岸線と呼ぶが、一般的に目にする地形図に描かれる海岸線がそれにあたる。反対に潮が引く干潮時の海岸線を低潮海岸線と呼び、海図に描かれる海岸線となっている。２００１（平成13）年の行政改革により、国土交通省が誕生する前、都市や建築にかかわる行政官庁は建設省、船舶の運航や港湾にかかわる行政官庁は、運輸省と、所轄が分かれていた。このとき、建設省は満潮時の海岸線を引き、運輸省は干潮時の海岸線を引いていた。建設省は都市や建築などが浸水しないように国民の財産や国土の保全を図る立場で、この線を引き、運輸省は船舶航行の安全を確保する立場で、それぞれ海岸線を引いていた。

潮汐作用による海面の上下移動は、太平洋側と日本海側ではそれぞれ異なり、太平洋側では、海面の上下移動の変化が大きくなる。干潮時に最も海面が下がるのは、有明海の佐賀県付近で6メートルほども

5-3　清澄庭園　庭園内の汐入の池は海の干満作用で変化する隅田川の水位に連動して池の水面が変化した

下がる。逆に、日本海側は干満差による変動は小さく、おおむね1メートル前後で、最も変動が少ない場所は、若狭湾の中にある京都府の伊根湾である。ここは隆起海岸のために、海岸線近くでも水深が深いが、干満差はわずか50センチメートルにも満たない。そのため、この水位変動の少ない海面を利用するように海岸線にはぎっしりと舟小屋がたち並んでいる。舟小屋は先述（24頁）したように、舟を収納する小屋の呼び名だが、小屋と呼ぶよりもしっかりとした建物であり、伊根では干満差が少ないことを利用して、海岸線に接するように建て、舟小屋の一階部分の中まで海面を取り込むように工夫することで、家の中から舟に乗って出漁や帰港できる便利な建物となっている。

現在、この舟小屋は、２３０軒が２００５年に漁村としてははじめて「重要伝統的建造物群保存地区」に指定された。舟が木で建造されていた頃、雨や雪や日照りから舟を守るために舟小屋は海岸線に建てられることで、全国の海岸でその姿を見ることができた。

しかし、船体のＦＲＰ化が進むことで、舟を雨ざらしにできるようになると、次第にその姿は消えてゆき、現在では雨や雪の多い日本海側の青森から長崎までの限られた漁村においてのみわずかに見かけることができ、その多くが舟を収納する習慣が継承されている地域に限られている。ただし、海や水面を小屋の中まで引き入れた舟小屋となると、かなり限定的になり、京都府伊根町のような建築形態は、新潟

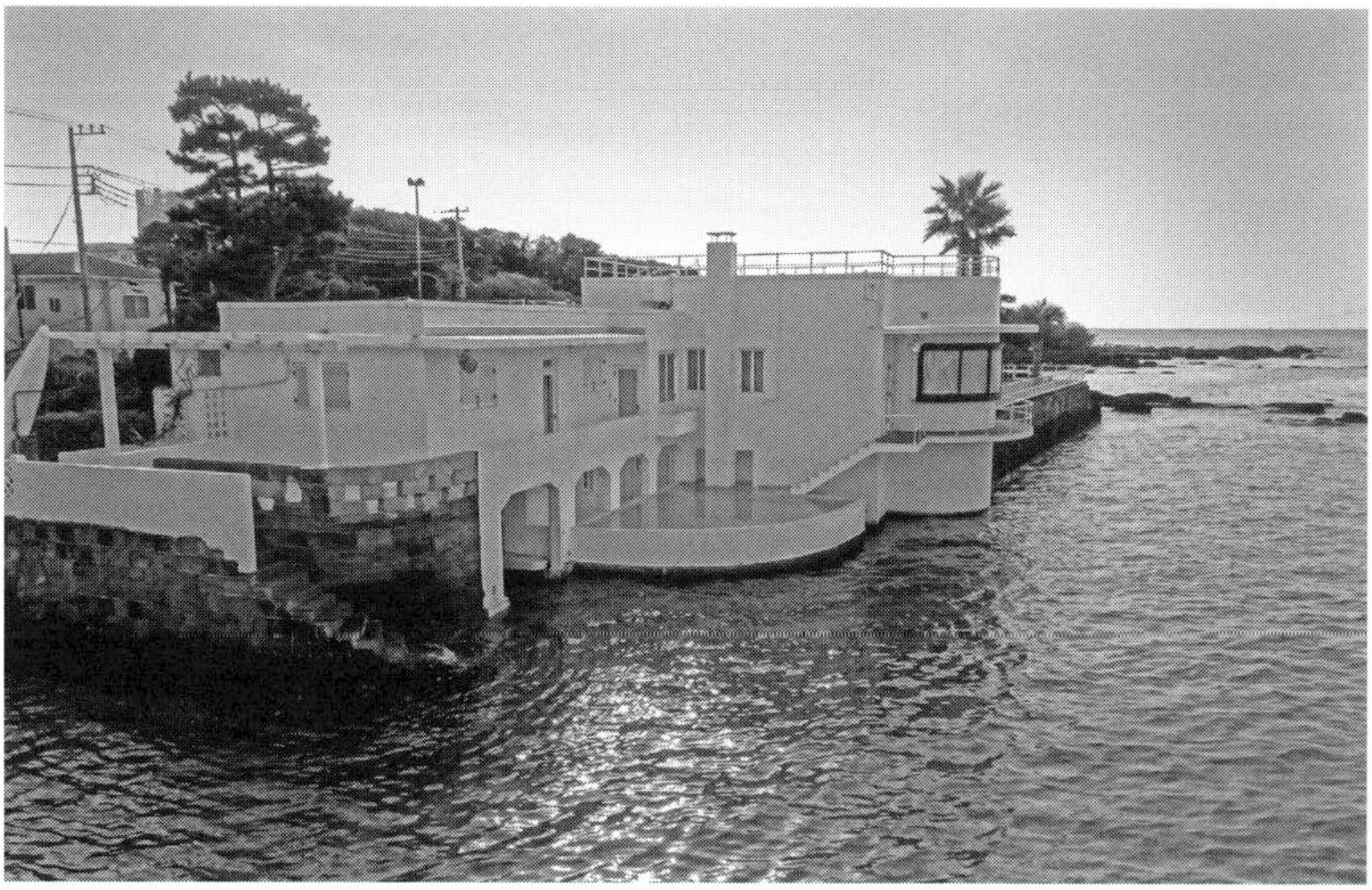

5-4　旧竹田宮恒徳王別荘　神奈川県佐島に竹田宮別荘として建設された。建物写真のプール左側に出入り口があり、舟小屋のような海に繋がるボートハウスが備えられた

県佐渡島の加茂湖や福井県三方五湖《みかたごこ》など、数か所の限られた地域でしか見ることはできない。

舟小屋と同じような仕組みをもつボートハウスが神奈川県湘南佐島に竹田宮恒徳王《たけだのみやつねよしおう》の別荘（5-4）として昭和初期に建てられた。現在、この別荘は民間人が所有しているが、竹田宮はフランスに留学したとき、ヨットを愛好するようになり、佐島に別荘を建てる際、ヨット収容のために海面が屋内まで引き入れられたボートハウスを備えた。

フランク・ロイド・ライトも、アメリカ・ウィスコンシン州にある湖に1階がボートハウスとなっている別荘を設計している。

生きている海岸線

一方、海岸線が抱える問題は環境問題だけではない。地殻変動による隆起や逆の沈降による地形変化があるほか、河川からの土砂の供給が少なくなることで、漂砂が減り海岸浸食が進み消滅の危機に瀕する海岸線も多い。これは砂防ダムの建設が原因とされている。

海岸線に構造物などがつくられると沿岸流の流れに変化が生じ、周辺部の海岸線が痩せて消滅したり、逆に堆積が増えて海浜が広がるなどの現象が起きやすい。太平洋側の海岸線は埋め立て造成や港湾整備により海に構造物が据えられる影響により、浸食や消滅する海岸線は比較的多い。漂砂の堆積現象としては、湘南海岸にある江の島と向かい側の片瀬海岸の間の海域が顕著で、江の島が沖にあることで、片瀬海岸側に砂が堆積して砂洲を形成する「トンボロ現象」が起きて地続きになっている。このトンボロ現象によって砂洲が形成されている場所は案外多い。福岡県博多のももちにある「マリゾン」も、当初は海の中にポツンと立つ姿がイメージされて建設された建物であるが、トンボロ現象により海浜とマリゾンの間の水域には次第に標砂が堆積し、砂洲が形成されることで現在は陸続きになってしまっている。フランスのサン・マロ湾にあるかの有名なモン・サン・ミシェルも同様のトンボロ現象で地続きになってしまっていたが、2009年に大規模な改修浚渫工事が行われ昔の姿に戻された。

土地が沈んでしまう沈降現象は自然海没とも呼ばれ、土地が消滅する訳ではなく海の底に沈む、あるいは相対的に海面が上昇した状態を指したもので、一見消えてしまったようにも見えるが、海底には地上にあった土地をそのまま投影したような形で存在するため、「海没地」と呼ばれる。新潟県長岡市寺泊地区の水族館の立つ敷地部分がこれにあたる。海の中に建っている訳は前章に述べたとおりである。

海岸線は、四面環海な島国日本では国土面積（順位62位）は狭いながらもその距離は意外にも長く、2万9751キロメートルほどで世界では6番目に長い（CIA調査による。ちなみに国土交通省海岸統計によれば3万5558キロメートルほど〈北方領土を含まず〉）。逆に国土面積が日本より遥かに大きいオーストラリア（国土面積6位、海岸線距離7位。以下数字はCIA調査による。順位は国土面積、海岸線距離の順）は2万5760キロメートルで、アメリカ（3位、8位）は1万9924キロメートル、中国（4位、11位）も1万4500キロメートルで、意外にも日本と比べて短い距離である。ちなみに、カナダ（2位、1位）は20万2080キロメートルで、ロシア（1位、4位）は3万7653キロメートルある。意外に長いのが島嶼国のインドネシア（15位、3位）で5万4716キロメートルあり、フィリピン（73位、5位）は3万6289キロメートルある。大陸国家と比べて小さな面積の島々が集まった島嶼国はフィリピンで7641島、インドネシアで1万3466島を数え、国土面積は小さくとも島々の数の多さから海岸線は長くなっている。このことは島々が複雑な地形による海岸線で構成されていることの表れでもある。ちなみに日本の島の数は海上保安庁の調べでは6852島（北方

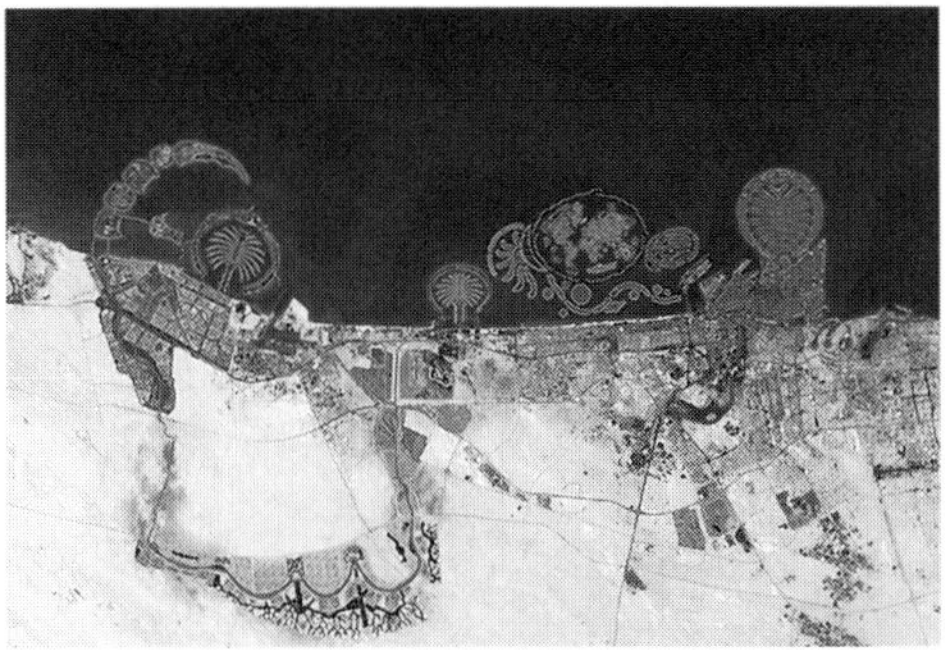

5-5　UAEドバイのパームアイランド
短い海岸線を長くするため、ヤシの木を模した人工島や地球の大陸を模した人工島を建設し10倍の長さに延長された

領土含む）ある。

　中東のアラブ首長国連邦ＵＡＥに属するドバイは産油国ではないが、ドバイ金融市場を生み出すことで目覚ましい経済発展を遂げることに成功し、砂漠の中に世界最高の高さを誇るブルジュ・ハリファを建設し、さらにこれをしのぐ高さ1キロメートルの超高層建築の建設計画や「ドバイEXPO ２０２０」（世界的なコロナウイルス感染により２０２1年に延期された）の開催が計画されるなど、世界が注目する国に成長してきた。この成長著しい砂漠の国の海側に目を向けて見ると、海岸線の延長距離はわずか80キロメートルほどしかない。日本で最も短い海岸線の山形県でも１１０キロメートルほどある。このため、ドバイでは国策として海岸線距離を今の10倍の８２０キロメートルにすることを計画しており、地先水面には「パーム・アイランド」と呼ばれる人工島による群島が建設され、ヤシの木をかたどったパーム・ジュメイラや地球上の陸地をかたどったようなザ・ワールドと名付けられた人工島など、全部で5か所の建設が進められている（5-5）。

　これらの人工島では単なる埋め立て造成地によって海岸線の延長距離を稼ぐのではなく、そこには工夫が施されており、パーム・ジュメイラの場合、名前の通りヤシの木をかたどった人工島とそれを囲み込むような人工島がつくられ、幹にあたる部分から枝葉が16本延びることで、延長距離を増やし、ここに戸建ての別荘が建てられている。各別荘用地には専用のビーチが設けられていて、マリンレジャーが家に居ながらにして楽しめるようになっている。パーム・ジュメイラと同じタイプの人工島はほかにパーム・ジュベル、パーム・ディラが建設される予定となっている。

5-2

海抜・標高・日本水準原点

海抜と標高

陸地は本来海よりも高い位置にあるはずであるが、海よりも低い位置に存在する陸地がある。干拓（工法）により海を仕切って水を抜き取り、海底を陸地にすることでつくり上げられてきたオランダ王国の国土がまさにそれに該当する。そのため、オランダには「世界は神がつくったが、オランダはオランダ人がつくった」とする言い伝えがある。こうした陸地は海面よりも低い位置になるため、海抜ゼロメートル地域とも呼ばれている。日本でも東京、名古屋、大阪の大都市をはじめとして各地に海抜ゼロメートルと呼ばれる地域が大なり小なり存在する。

この中には江戸時代に行われた新田開発で生み出された場所もある。新田開発は主に海岸近くの水捌《みずは》けの悪い低い土地の改良を兼ねて干拓が行われ、そこに新しい水田が開墾されてつくりだされ、今日「新田」と呼ばれる地名の残された場所はおおむねこの頃につくられたもので、海抜ゼロメートル地域に類する海面下の土地である。このため、地球温暖化の影響による気候変動がもたらすゲリラ豪雨が増える昨今、洪水や浸水などの水害発生が懸念される要注意の場所ともなっている。

近年になり海抜表示が目だつようになり、「ここの地盤は海抜○○メートル」という表示を街中で目にすることが増えている。こうした海抜表示は津波や高潮に対する注意喚起を含めて意図的に使われているようだ。では、この海抜表示とは標高とは別のものなのか、海抜については海面からの高さを示し、標高については地面からの高さを示すものなのか、などなど、疑問を抱く人も多いことと思う。富士山は標高や海抜で高さが記され３７７６メートルあることはよく知られているが、この海抜と標高の表示の違いについて見てみると、国土地理院の定義によれば、「海抜」は標高の測り方の1つで、平均海面を基準（0メートル）として測った標高のことを指し、「標高」は水準原点を基準に測定したその土地の高さ（鉛直方向の位置）のことを指すとしている。現在は平均水面を0メートルとして水準原点の標高を定義しているため、標高と海抜は同じ意味と考えて差し支えない。

日本全国の土地の標高は東京湾の平均海面を基準として標高0メートルとして測られている。通常、陸の土地の上に建てられてきた建築には「G.L.」の表示があるが、港の海面の表示には「T.P.」と記されている。これは東京湾平均海面「Tokyo Peil（オランダ語で基準や水準の意）」の略称であり、東京湾の平均水面を基準にしていることを表している。この「T.P.」はA.P.＋1・1344メートルをT.P.±0・0メートルと定めたものである。A.P.は荒川基準の略であるが、このことは後述する。名古屋港の場合「N.P.」表示となりN.P.＝T.P.＋1・40メートルとなる。これは名古屋港が東京港よりも1・4メートルほど低いことを意味し、大阪港は「O.P.」表示でやはりO.P.＝T.P.＋1・30メートルで東京港よりも1・3メートル低い。

各地の港湾の水面は必ずしも同じ水面高ではない。この東京湾の平均海面は波も流れもない平坦な状態を仮想して設定されたもので中等潮位ともいう。東京湾の平均水面を基準として各地の港湾水面高が決められるため、福岡の「マリゾン」では、接水性を高めるために博多港の最潮位2・84メートルで東京湾平均海面が0・99メートルのため、T.P.＋1・85メートル（2・84－0・99）＋0・50メートルで親水テラスが海面上に設定されたことは前述のとおりである。

5-6 日本水準原点標庫 国会議事堂近くに立つ標庫は、外観はやや小ぶりながらローマ神殿を彷彿させる建築様式となっている

日本の水準原点と標庫

この平均海面を地上に固定するために設置されたのが「日本水準原点」と呼ばれるものである。この水準原点は、測量法施行令第2条により1891（明治24）年5月に現在の国土地理院の前身であった参謀本部陸地測量部のおかれていた場所で、今は皇居や国立国会図書館に近い憲政記念館の立つ公園内に設置されている。

水準原点の基礎は地下10メートルほどの岩盤層に届くように据えられ、原点の高さに狂いが生じないように塔状のコンクリートと煉瓦による頑丈な基礎がつくられ、その天端に花崗岩の正八角形の台石がおかれ、ここに東京湾平均海面の高さがゼロになる目盛が刻み込まれた水晶版がはめ込まれている。

ただし、丈夫な基礎も不動ではなく若干の沈下があり、その都度修正が加えられてきている。当初の標高は東京湾平均海面上T.P.＋24・5000メートルと定められていたが、1923（大正12）年の関東大震災によって地殻変動が起きT.P.＋24・4140メートルに改定され、その後2011（平成23）年3月11日の東北地方太平洋沖地震（東日本大震災）ではさらに24ミリ沈下したため、T.P.＋24・3900メートルに再び改定された。

この水準原点は「日本水準原点標庫」（5-6）と呼ばれるやや小振りな祠のようにも見える建物の中に収められている。この建物の外観はローマ神殿の形式をまとった建築様式でまとめられ、建物の正面にはドーリア式の柱廊と帯状部、三角妻壁（ペディメント）のレリーフ装飾が施されていて、石造の小さな建築でありながらも本格的な建築的様相を見せる。近代建築が普及する以前、ある意味こうした記念碑性や象徴性が要される建物には未来永劫不変であることが求められ様相が決められてきたものと思う。建築の存在あるいは意匠に対する意味を熟慮することをこの標庫は表しているようにも見える。[12]

5-3

験潮場・検潮所・験潮所

霊岸島水位観測所とA.P.

富士山の高さは東京湾の平均海面を基準として計測されているが、この平均海面の測定は東京湾の湾奥部の霊岸島に設けられた「霊岸島水位観測所」（5-7）で行われてきた。水位観測は海面を観測することにより、測量の目的である標高の基準を設定するための基準となる平均水面を決めるためのものであり潮位観測あるいは験潮ともいう。

この水位観測施設は、験潮場・検潮所・験潮所の3種類ある。国土地理院の管理するのが「験潮場」で全国に25か所あり、土地の標高や海岸の地殻変動の観測が主な役割である。気象庁が管理するのが「検潮所」で72か所あるが、こちらは津波や高潮の観測が主な役目である。また、海上保安庁が管理する「験潮所」は20か所あり、こちらは船舶航行のための水路の潮位を観測することが主な役目となっている。それぞれの管轄により用いられる漢字や呼称が異なっているが、誤字や書き間違いではない。

霊岸島水位観測所は、1873（明治6）年6月に開設されたが、この頃の潮位観

5-7　霊岸島水位観測所　この水位観測所はデザインモチーフに土木や建築の記号を用いている

測は、量水標あるいは量水尺と呼ばれる尺単位の目盛りが刻まれた柱が海底に建てられ、それを使って潮位を読み取っていた。そのため、ときとして吹く風や波による海面の揺れにより精度の高い観測を行うには若干の不安があった。この量水標がはじめてわが国で使われたのは72年に、当時の民部省による千葉県銚子犬吠埼《いぬぼうさき》の利根川河口部に設けられた高神験潮場の「量水標」が初であった。この翌年には霊岸島にも験潮場が設置され、翌々年の74年には東京の江戸川と大阪の淀川のそれぞれ河口部に設置された。それ以降、全国の主要河川河口部に水位観測所は設けられていった。

霊岸島では1873年6月の設置後直ちに観測が開始され、79年12月までの間、ほぼ毎日満潮と干潮の水位（海面）が観測され、その平均値に基づき「平均海面（中等潮位）」が決められた。その後、88年に陸地測量部が発足した後、91年5月に千代田区永田町1丁目1番地にあった測量部の敷地内に「日本水準原点」が設置された。これを機に小樽（北海道）、花吹（北海道）、岩崎（青森）、鮎川（宮城）、高神（千葉）、輪島（石川）、外浦（島根）、串本（和歌山）、深堀（長崎）、細島（宮崎）、の全国10か所に験潮場は設置された。

霊岸島水位観測所は、一見すると隅田川の河口部に設置されているようにも見えるが、今日の隅田川は江戸期に行われた上流部の入間川の瀬替えにより明治期初期までは荒川と呼ばれる川であった。その後、洪水対策のために開削された荒川放水路が1965（昭和40）年に政令によって荒川本流と命名されることで、岩淵水門よりも下流部を隅田川と呼ぶようになった。こうした経緯を経る中で、明治期に河川や港湾、灌漑《かんがい》の土木分野で先駆的技術を誇ったのがオランダであり、その技師がお雇い外国人

5-8　三浦半島油壺湾験潮場　こぢんまりしたたずまいでありながら厳正さを秘めた雰囲気を見せる。左が旧験潮場、右が1994（平成6）年に建てられた新験潮場

として近代測量法を日本に持ち込み、河口部に水位計測のための「量水標」を設置した。この頃は隅田川は荒川と呼ばれていた時期であった。そして、荒川の最低潮面は1・134メートルのため、荒川の頭文字からArakawa Peilが使われ「A.P. ±0メートル」と表示され今日に至っている。なお、T.P.＝A.P.＋1・134メートルと定められている。このA.P.表示は当時の東京府、東京市、荒川、中川、多摩川の基準面として使われた。Peilは量水標を持ち込んだのがオランダ人技師であったためこの表記が使われてきた。しかし、霊岸島水位観測所は川から流入する淡水の影響が多々あったため、1894年6月からは神奈川県の三浦半島油壺湾（5-8）に設置された験潮場（左側）で観測が行われるようになった。油壺湾の験潮場はもともと千葉銚子に設置されていた高神験潮場がやはり潮流の影響を受けて利根川河口部からの土砂移動が激しく、観測に適していなかったことから移設された験潮場であった。

　水位観測を験潮とも呼ぶことは先に述べたが験潮は土地の高さを測る基準を決める大事な役目がある。この験潮には当初は量水標が使われていたが、波のない平坦な海面で測定することで「基準」の精度を高めるために験潮場と呼ばれる建屋が海岸線の岩盤のしっかりした場所に設置された。この建屋の内部には通常は験潮儀室と呼ばれる観測室が設けられ、そこに井戸が掘られて底に海とつながる導水管が通されることで、海面と同じ水面高の波がなく揺れのない平坦な海面が確保された。この海面に験潮儀から吊るされた浮標を浮かべることで制度の高い水位計測がされるようになった。

　油壺湾の旧験潮場の建物は原点標庫の建物と同様に、外観は基礎部分を石積みとしており上屋部分は焼き過ぎ煉瓦のイギリス積みで仕上げている。小さいながらも明治期の公の建物に対する息吹が見て取れる。平成26年度の選奨土木遺産に認定された。

現在、霊岸島水位観測所では東京湾の埋め立てや荒川水系の基礎データの観測が行われており、水準原点との関係はなくなり所管は国土交通省荒川下流工事事務所となっている。ただ、この水位観測所は歴史的な経緯を伝えるために土木や建築図面に記される高さ記号の▽をモチーフにした三角形のフレームで構成され、下端部はA.P.±０メートルを指し、一辺の長さは観測所のおかれた東経139°47′にちなみ13・９４７メートルとなっている。

現在、隅田川の護岸テラスの工事により当初の観測所位置よりも下流側に36メートルほど移動して設置されている。このデザインはアーキテクトファイブという建築事務所が行った。[345]

第6章

建築家が描いた夢・海上都市

6-1

海の上をどう使うか

海に描かれた思い

通常、人々の生活を含めた活動を補完する空間を建築と云うが、この建築はこれまで動かないものとされ、土地の上に建つものとされてきた。建築はおおむね土や木や石、あるいはレンガや鉄やコンクリートなどで頑丈につくられ、形はともあれ土地の上にしっかりと立っていた。これが人々の思い描く建築のあるべき姿であり、かたちであり、日々目にしてきた既視感によって想起されてきた建築だと思う。少し変わったものとしては土地にもぐった洞穴や洞窟、土地から離れた高床や杭上などの建築が脳裏に浮かぶかもしれないが、いずれも土地に依存して立っていることに変わりはない。建築と土地の関係性は建築が生み出されてきた遥か悠久の昔から切っても切れない関係を築き上げてきているといえる。

では、土地に依存しない建築なんてものがあるのか、そんなものがあるのかと訝しくなるが、「ある。」となる。南米ペルーのチチカカ湖の湖面には、トトラ（6－1・6－2）と呼ばれる葦でつくられた人工島が浮かんでおり、その島の上にやはり葦で編んだ住居が立ち並び集落を形づくっている。歴史を遡れば14世紀に現在のメキシコの首都メキシコシティのあるアステカ盆地には沼沢地でテズココ湖と呼ばれる湖があった。ここに当時としては35万人もの人々が住む「ティノチチトラン」と呼ばれる水上都市が浮かんでいた（6－3）。この水上都市は「チナンパス」と呼ばれる土を敷いた筏の上につくられていた。一方、アジアの川辺や海辺に目を移すならば、今日でも水面に住むための小舟を浮かべて、そこを住居にしたり、筏の上に住居を建てたり、水面に杭を立て、その上に住居を建てて暮らしを営む風景をおそらく一度や二度は目に

6-1　チチカカ湖の浮島　ペルーのチチカカ湖ではトトラ（水草）を積み重ねて浮島が造られる

6-2　チチカカ湖の浮島住居　浮島の上にはトトラで編んだ住居を建て、トトラで造った舟を使っている

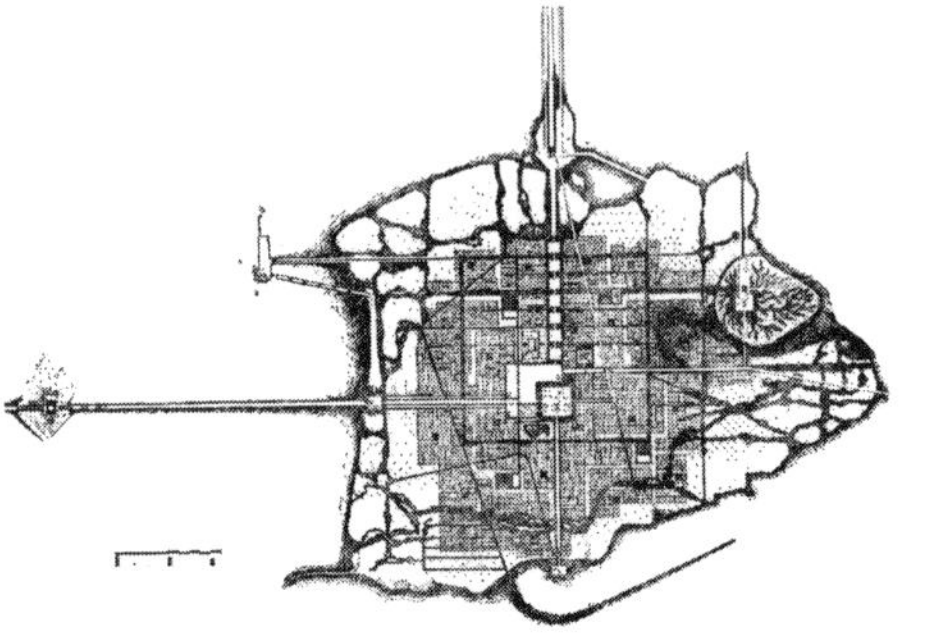

6-3　テノチチトラン　メキシコのアズテク盆地のテズココ湖の水面に14世紀に造られた当時世界最大の水上都市（出典：川添登『都市と文明』雪華社、1965）

したことがあるだろう。

　こうした風景を見ると建築は必ずしも土地の上に立つだけではなく、水の上にもあることがわかり、建築はそれが立つ場所に必ずしも固定されずに存在していることがわかってくる。

　建築は、そもそもギリシャ時代やローマ時代にその起源があり、歴史的意匠をまとった様式建築が主流とされてきたが、産業革命以降、工業化社会の流れに呼応して、1920年代には機能的で合理的な建築を追及する近代建築（モダニズム建築）が模索され、1930年代には国際様式（インターナショナルスタイル）と呼ばれる様式が模索され変貌してきた。

　わが国では、折衷主義的な帝冠様式や伝統論争を経て近代建築や国際様式が定着してきた。その後、1960年代になり当時の若手建築家集団が新たな建築のあり方を模索することで、それまでの建築の固定概念を打ち破る新陳代謝を意味する「メタボリズム」の概念を掲げ、日本発の建築運動が世界に向かって発信された。メタボリズムの理念による建築や都市は、それまでの建築に対する考え方とは大きく異なり、社会や人口の成長変化に合わせて建築や都市は有機的に成長するというもので、古くなった機能や用途は新たな機能と容易に交換できるという考え方で、提案された構想や計画には「サイボーグ」や「カプセル」「ユニット」や「システム」といった、それまでの建築には馴染みのなかった新しい言葉が使われて概念が表現された。

　この概念により提案された「海上都市構想」は土地にしばられずに移動あるいは浮遊が可能というところに夢や魅力を感じさせられたが、こうした「動く」「浮かぶ」

発想は実は大昔からすでに考えられてきていて、前述のティノチチトランなども含まれる。

この「浮かぶ」の代表的なものに、誰もが知る「ノアの方舟」の説話がある。「方舟」については「箱舟」「箱船」の表記もある。この話は旧約聖書の『創世記（6章〜9章）』の中に収められているが、ここに登場する方舟は船がまだ存在しない遥か以前に、地球が大洪水による水没の危機に瀕したとき、神によって選ばれし多くの生き物たちを水没の難から逃れさせるため、それぞれの生命を守る手立てとして創られたものである。

この方舟は呼び名が示すように舟としての航行性能よりも、より多くのものを積載することが重視された箱のようであり家のような型をしていた。船内は3階建てで多くの小部屋が設けられ、そこにさまざまな生き物たちがつがいで入れられた。方舟は全長133・5メートル、幅22・2メートル、高13・3メートルほどであったが、この「長：幅：高＝30：5：3」は、偶然にも現在の大型船が建造される際、最も安定するとされる比率とほぼ同じであった。

この方舟は旧約聖書によるとトルコ共和国の東端にある標高5137メートルのアララト山に洪水の後に漂着したと記述されており、その残骸を探し出すべくかつてトルコやロシアが大がかりな捜査を展開し、残骸らしき木片を見つけたとの話がある。その話はさておき、こうした「浮く」という発想は、いつの時代にも考え出され、陸域が危機に瀕したときに登場する「救いの手」であり、問題解決を図るための1つの方策とも思われる。

加えて、世界では海を舞台にした冒険小説やSF小説が数多く書かれているが、19世紀のフランスの作家ジュール・ベルヌが描いた動く人工島もまた「浮く」ことへの想いの表れと言えるかもしれない。ベルヌは「もしこんなことが可能になったならば……」との想いを秘めて多数のSF小説を書いている。その中の1冊に潜水艦という当時としてはまだもの珍しい乗り物とその船長を主人公にした『海底2万マイル』という小説がある。幼い頃、胸をドキドキさせながら読んだ人も多いことと思う。ここに登場する潜水艦は小説が書かれた1870年当時に建造されたものとは比べ物にならないほど巨大かつ高性能な代物で、荒唐無稽と思われるような先進的技術を満載し、世界中の海の中を潜航したままで縦横無尽に活躍し、ときに巨大生物と戦うシーンなどが描き出されている。この潜水艦は本の中では「ノーチラス号」と呼ばれていたが、後にアメリカ海軍が世界初の原子力潜水艦を建造したとき、この名がつけられた。

次いで、この小説が出版された25年後には、今度は動くはずのない島が大海原を自由に動き回る物語『動く人工島』（原題・*L'île à hélice*『スクリュー島』）」が発表された。この物語はアメリカに演奏に来たフランスの四重奏団の団員たちが島の政府に捕まり、そのまま地上の楽園である南太平洋を目指して島とともに航海するという冒険小説である。通常、島は動くことはなく、むしろその限定的な空間ゆえに閉塞感を覚えるが、動くはずの無いものが動くことで生まれる新たな価値や爽快感、痛快感をベルヌはこの小説で表現したかったのだろう。動く人工島は「スタンダード島」と名づけられ、超近代的技術により建設された人工島として描かれている。この物語を読んだ人はおそらく自由に航行する島の爽快さに酔いしれ、あこがれを感じたものと思う。ベルヌの描いた大胆な発想の動く人工島は時代を経ることで現実のものとして私たちの目の前に姿を現した。こうした先人たちの描いた夢は、現代社会がかかえる人間活動に伴う都市問題や経済問題、地球規模的な気候変動や温暖化現象など環境問題に対する解決策を考えるうえでのヒント（示唆）の1つともいえる。

人工島の登場

〝夢洲《ゆめしま》〟とは？　この地名をまだ知らない人は案外多いと思う。が、2025（令和7）年に開催が決まった大阪万博の会場となる大阪湾につくられた人工島の地名である。わが国初のカジノの誘致場所と言えばご存知の人がいるかもしれない。今後はこの島の地名を耳にすることが増えることになるだろう。

この夢洲のような人工島や人工島を使った場所は、すでに全国にさまざまつくられてきており、代表的なものだけを取り上げて見ても東京臨海副都心、中部国際空港セントレア、関西国際空港、神戸ポートアイランド、六甲アイランド、神戸空港、和歌山マリナシティなど、主要な大都市周辺の地先海域には数多くの人工島が立地していることがわかる。これらは都市機能の拡張や補完の役割を担っていたり、騒音対策や広い場所を確保する必要要請によるほか、航路浚渫や残土処理のための埋め立て造成地もあり、いずれも今日的な社会的要請を背景にして建設されてきたもので、人工島は身近な存在となっている。ただし、埋立地や人工島は当初の建設方法が廃棄物やゴミの処分場としての埋め立て造成からはじめられたために、未だにその当時の負の印象が拭いきれていないこともある。ちなみに、２０１９年6月に大阪で開催された第14回20か国・地域首脳会合、通称「Ｇ20」大阪サミットは、夢洲に隣接した人工島の咲洲《さきしま》が会場であった。

こうした人工島は伝統的な埋立工法によってつくり出されてきているが、近代以降に本格的な人工島が誕生したのは神戸ポートアイランドで、１９８１年に港湾機能の拡張と南北が山と海に挟まれ、都市機能も硬直化してきていた神戸市では、「山、海に行く」を合言葉にして、六甲山の裏山を削り、そこから排出された土砂を神戸港沖まで延伸された長大なベルトコンベヤーで運び人工島が築かれた。この大規模な造成工事により、山と海に同時に新たなニュータウンが誕生した。

一方、わが国には独自開発による先端技術としての「浮かぶ人工島」の建設技術がすでに確立されてきている。この建設技術では海面上に長さ１０００メートルを超える超大型の浮体式構造物をつくりあげることができ、その規模の巨大さから「メガフロート」と命名されている。この大きさは、世界最大の航空母艦の全長３３３メートルを遥かにしのぐ長さである。このメガフロートは１０００メートルを超える巨大な規模であっても海面に浮かび、波や流れの影響を受けても微動だすることもなく、台風や津波でもビクともしない安定性を誇る。

１９９８（平成10）年の実証実験では、この甲板上につくられた滑走路に国産旅客機ＹＳ-11などを使った離着陸実験が行われ、浮いていても何ら支障のないことが確認され実用化のための実験は見事に成功を収めている（6-4）。この成功を踏まえて、４０００メートル級の滑走路を複数備えた巨大な空港施設を、都心近郊の海域に浮かせることを目指して構想計画が検討されてきた。ほかには、世界に類を見ない大型の浮体式構造物を用いた洋上石油備蓄基地が88（昭和63）年に長崎県五島に建設され、次いで96年には福岡県白島に建設されている。

現在、メガフロート技術は世界各国に向けての売り込みセールスが政府・民間連合で行われており、イスラエルでは沖合の医療研究施設、ブラジルでは油田開発の作業員宿泊施設としての利用計画が検討されている。インドネシアではこの

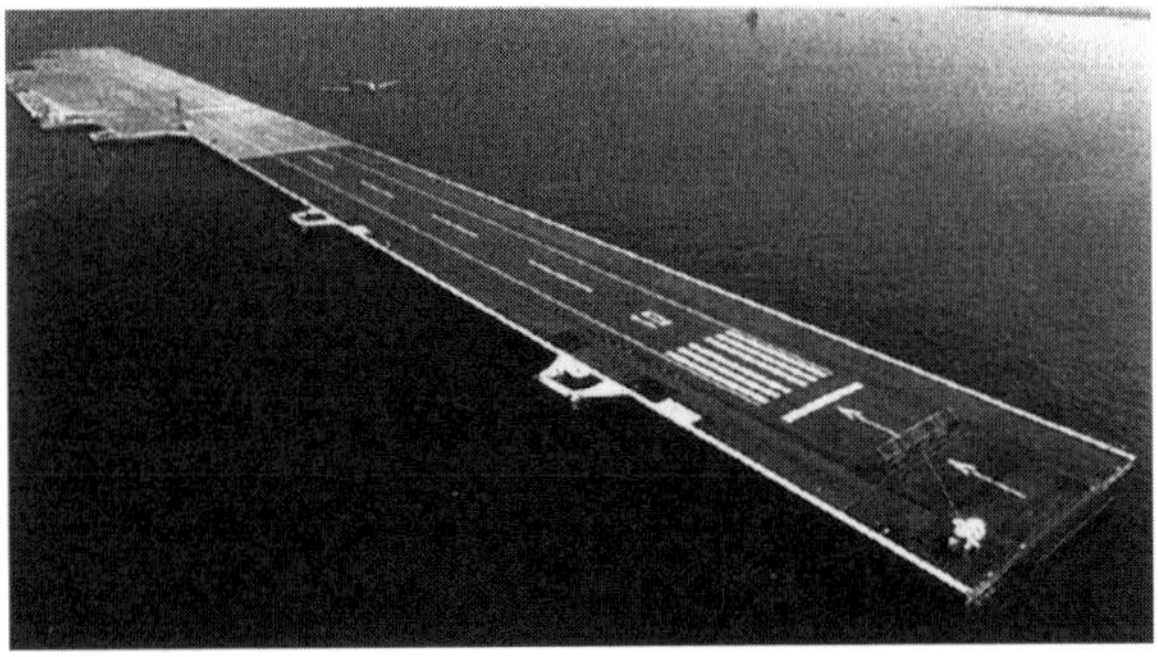

6-4　メガフロート　1000メートル規模の鋼鉄製の浮環（メガフロート）の実証実験に成功

技術を使った石炭積出港の計画が具体的に進められてきている。

では、こうした人工島をつくる発想はいつの時代から考えられ、そしてつくられはじめたのか、どんなところにつくられたのか、どうやってつくったのかなど、多くの興味や疑問が思い浮かぶかもしれない。そういえば、修学旅行で行った長崎出島や東京のお台場も江戸時代に人工的につくられた島だと思い出す人がいるかもしれない。

実は人工島は、歴史を遡り文献などに記載のあるものについて見てみると、前述したように、平安時代の1173（承安3）年に現在の神戸市兵庫区あたりに平清盛によってつくられていた。当時は土砂を埋め立てて築かれたため「築島」と呼ばれていた。この築島がつくられた場所の丁度目と鼻の先に現在の神戸ポートアイランドがある。同じ人工島の類としては、和賀江島や軍艦島、出島、台場、東京湾第三海堡《かいほ》などがある。

わが国は島嶼国で四面環海のためか、海の空間を利用することは古くから身近なこととして行われていたようで、土砂を埋め立ててつくる人工的な土地や島は数多くあるが、そればかりか、より容易な方法として直接海の上に立つ建築もつくられており、海の上に立っていたり、浮いているものがつくられてきていた。古いものでは長崎に「架造」と呼ばれた杭式の海上家屋があったり、琵琶湖には平安時代に建立された「浮御堂《うきみどう》」と呼ばれるお堂が湖上にあるが、これも一説によると現在のような杭式ではなく当初は浮いていたとされる。

陸の延長としての海の利用

島国のわが国土は7割が山間部で占められているため、人間活動に要される平地不足は免れず、これを解消するために陸域の延長策として地先海面を埋め立てることが大昔から行われてきた。たとえば、今日の瀬戸内海各地の海岸部では13世紀頃から「新田」と呼ばれる農地開拓のための埋め立てが進められ、17世紀以降になるとコメの増産のために幕府や各藩の奨励により、海岸部の潟や浅瀬で干拓や埋め立てが積極的に進められてきた。今日、地名に「新田」と付く場所はおおむねこうした埋め立てが行われた名残りの地である。また、江戸時代には徳川家康が江戸城下の市街地を造成するため、神田山（現・駿河台）を切り崩し、江戸城の南側に広がる日比谷入江（現・日比谷公園辺り）を埋め立て、その後も湿地や入江を次々に埋め立てることで市街地の拡大が図られてきたことはよく知られた通りで、埋め立てによって今日の東京の原型がつくり出されたといっても過言ではない。

余談になるが、家康による日比谷の埋め立て工事では、「しがらみ」と呼ばれる丸太杭や竹を海岸線に沿って立てながら、その内側を土砂で埋め立てる土木工法が用いられ、これを繰り返しながら日比谷入江の一帯が埋め立てられてきた。この埋め立て工事で使われた「しがらみ」が、ライトが帝国ホテルを建てる際に行った、日比谷の地盤調査のとき、地下からおびただしい数が掘り出された。[1]

明治期になると越中島地先、芝田町地先（現・芝、田町）、芝車町（高輪）など東京の臨海部で埋め立て事業がはじまり、併せて隅田川河口部や荒川河口部などでも埋め立て造成や運河の開削がなされた。その後、横浜鶴見区では「鶴見埋立組合」（後の東亜建設工業）が設立され、本格的な埋め立て事業がはじめられた。これは浅野総一郎《あさのそういちろう》の発案によるもので京浜工業地帯の造成事業の幕開けであった。浅野は当時、欧米の港湾や運河などの先進事例を現地視察してきた経緯があり、その経験に基づき近代的な港湾の建設や運河の開削、臨海工業地帯の建設のためには、埋め立て事業を推進することが必要であることを痛感しており、埋め立て事業がわが国の経済成長を支える基盤整備になると考えていた。京浜工業地帯はその後１９２８年に完成した。こうした埋立地造成事業は55年頃から65年頃にかけて東京湾、伊勢湾、大阪湾で盛んになり、全国の海面埋立面積2万7278ヘクタールのうちの46パーセントを三大湾が占めることになった。こうした埋め立てによる工業用地の造成がその後、日本の経済力を飛躍的に向上させる原動力となった。埋立地造成については賛否両論あるが、今日の日本の経済成長に寄与してきたことには間違いない。

埋め立て事業は当初、湾奥の入江や内湾の湿地・干潟や5メートル程度の浅い地先の浅海域で行われていたが、次第に外海の水深の深い沖合の海域でも展開されるようになっていき、関西電力御坊火力発電所の建設においては、水深24メートルの海域で埋め立て造成が行われた。埋め立て地造成の目的は、1971年の工業用地の造成を頂点にして、その後は横浜のMM21地区や東京臨海副都心など都市再開発用地確保のための造成へと変貌していった。

海の空間利用

陸域の延長としての海の埋め立てを主体とした空間利用は国策として進められてきたが、その一方で、1960年代前後からは、建築家らによる新たな建築や都市の姿やあり方が模索検討されることで海上を利用した計画構想が描き出され、その舞台として、「海の空間利用」が視野に入れられてきた。

わが国は、60年代に高度経済成長を迎えたが、そのきっかけをもたらしたのが、56年度発行の昭和31年度「年次経済報告」に書かれた「もはや『戦後』ではない」の一文であり、戦後復興の終了を宣言した象徴的な言葉として当時の流行語ともなった。この時代アメリカ合衆国では、第35代大統領に若きジョン・F・ケネディが就任し、61年1月20日にその就任演説が行われた。演説の中で、ケネディは科学技術の平和利用を訴え、人類に残された共通のフロンティアとして海を取り上げて宇宙開発と同様に海洋開発の推進を唱えた。大統領の積極的な旗振りにより、海洋開発はアメリカの国家戦略として位置づけられ、海洋科学技術の研究が本格的に始動した。

わが国でも同じ時期に国策として海洋利用の議論や検討が進められ、当時の自民党池田勇人《いけだはやと》政権では、海洋科学技術研究振興のための海洋科学技術審議会が設置された。この海洋利用の動向を1960年代から70年代の「科学技術白書」に基づき概観して見ると、62年に策定された「全国総合開発計画」では、拠点開発方式の導入により主要な湾域部における新産業都市や工業整備特別地域の埋め立て造成計画が示された。68年度は、大陸棚における鉱物・生物資源開発を目的として海底に長期間連続的に滞在可能な作業基地「シーラブ計画」の開発や民間の研究における海洋での「都市建設の夢」が示された。69年には、海洋開発の新たな開発計画が答申され、翌70年に第1次実行計画が策定され、①日本周辺大陸棚海底の総合的基礎調査 ②海洋環境の調査研究および海洋情報の管理 ③資源培養型漁業開発のための研究 ④大深度遠隔操作掘削装置などに関する技術開発 ⑤海洋開発に必要な先行的・共通的技術の研究開発 などが掲げられ、技術的な展開として鉱物資源の開発、海水資源の開発、沿岸海域の空間的利用、海洋エネルギーの利用、気象海象情報および予報、水産資源の開発利用が示された。特に「沿岸海域の空間的利用」については、直結する課題として、「海洋構造物の設計・計画技術および材料に関する研究」「海洋構造物の施工技術に関する研究」「海洋構造物の開発に関する調査研究」が掲げられた。海洋構造物の研究としては、沖合発電所、海底貯油タンク、海底パイプライン、シーバース、海上空港、海上都市、海洋レクリエーション基地、海洋レクリエーション都市が示され、海洋空間に対しては、水深の深い海域の利用が盛り込まれ、合わせて構造物の形式も埋め立て方式から脚柱支持式や浮遊式へと発展することが示された。

1969年策定の「新全国総合開発計画」（「新全総」）の予測では、目標年次である85年には個人消費支出が65年の4倍にのぼると見積もられ、家計消費においては可処分時間の増大、生活時間あたりの自宅内外における交際・趣味・レクリエーション費用がそれぞれ3・8倍、5・5倍に増えることが予想され、主要課題としての産業開発プロジェクトに「大規模海洋性レクリエーション基地の建設」が盛り込まれた。新全総では海洋性レクリエーションの比重の高まりに対応するため、海岸線の整備やヨットハーバー、海中公園などの整備により、大規模海洋性レクリエーション基地を数か所建設し、ほかに「エネルギー基地の整備」が取り上げられ、原子力発電や大規模火力発電などの整備推進が提示された。これに加えて国際・地方空港の整備要請の高まりに対しては新たな場所として海洋空間を利用することが示された。

1972年には、海洋開発に関して「海洋空間（スペース）」が海洋資源の一種であると明確に示された。翌73年には、海洋空間の開発は、沿岸部の埋め立てや干拓などに加えて人工島などの新しい開発方式も含めるとし、海上空港の実現も大村空港（長崎県）の開港を踏まえ、関西国際空港の検討を進め、海洋空間の開発（利用）の将来性は極めて多様であるとされた。海洋空間の開発に伴い解決すべき課題も多数あり、発展のための技術開発は、水深50メートル程度までの海洋構造物に関する技術の開発が不可欠であるとの指摘がなされた（本州四国連絡橋の建設がもたらす技術の進展は海洋空間の開発に大きな影響を与えると考えられた）。

こうした海洋開発や海洋空間開発の1つの到達点として、1975年に沖縄県の本土復帰を記念して「沖縄国際海洋博覧会」が開催され、「海―その望ましい未来」を統一テーマとして、日本を含めた世界36か国が参加した。このとき、海洋博のシンボルとして出展されたのが海上都市「アクアポリス」であった。この展示により、わが国の海洋開発では鉱物資源や水産資源のみならず海洋空間すなわち大海原までもが資源であるという認識を示した。その後、73年から「総合技術開発プロジェクト」として海洋構造物の構造設計基準の研究開発がはじめられた。78年には国土庁が大都市圏を対象として都市施設や住宅を載せた「重層住宅」と「人工浮き地盤」の2つの調査研究に着手し、前者は都市部において立体的に土地を活用するための人工地盤に関する研究であり、後者は都市臨海部の海の上に人工地盤を浮かべることの可能性についての調査研究で、各々2年あまりにわたり調査研究が進められた。80年代後半になるとウォーターフロントブームがわが国にも到来し、折からのバブル景気と相まって全国的に臨海部開発が注目されるようになった。[2]

6-2

東京湾に描かれた海上都市構想

海への思い

海洋開発の一環としての海洋空間利用に関する国の提言を横目で見ながら、1970年代に入ると海洋空間とは全く無縁と思われていた「建築学」においても積極的に海洋開発に参画する機運が見えはじめ、海洋空間とその開発を自らの科学技術の対象に含める動きがあらわれた。建築学は人間の生活空間の構築を目指す学問体系であるが、この生活空間を陸上から海上にまで拡張することが展望され、新たな領域としての海洋空間の開拓が志向された。こうして生み出されてきたのが「海洋建築」であった。一方、政府機関において60年代以降に検討されてきた海洋開発の中で、沖合発電所、海上空港、海上都市、海洋レクリエーション基地などの各種施設計画を進めるうえで建築学的な知見は必要不可欠なものとされた。

しかし、こうした潮流とは一線を画し、ほとんど海とは無縁であった文脈から登場してきたのがまさかの「海上都市構想」であった。

この構想は建築や都市の新たなあり方を模索する建築家が自らの思考の中から、わが国発の考え方として世界に向かって発信したもので、海あるいは海洋空間を自らの新しい活動の場としてにらみながら、海上都市の構想を練り上げ温めていた。

この海上都市構想は、1950年代末あたりから提案されはじめたが、これは国内経済が上向くことにより、主要都市では都市化が急速に進行し、それによって引き起こされた人口集中・交通混雑・住居過密・環境悪化など、人や物が密集しせめぎ合うことで、各種都市問題が顕在化してきたことから、これに憂いをもった建築家らが問題解決のために自らの思想に基づき描き出した都市像の提案であった。

１９５０年代末は、建築界にとっては大きなターニングポイントであった。それまでモダニズム建築を牽引してきた近代建築国際会議、通称ＣＩＡＭ（Congrès International d'Architecture Moderne）は、コルビュジェやワルター・グロピウスらの提起により、都市や建築の将来像に対する理念を追求する場として設けられた会議であった。１９２８年にスイスのラ・サラで第1回の会議が開催され、１９３２年の第4回会議で決議されたアテネ憲章は世界中の都市計画に多大な影響を与えるなど、新たな時代に向けて多くの役割や提唱を掲げてきた。しかしながら、回を重ねるごとに近代建築のあり方を巡って意見対立が激しくなり、58年の第10回会議では機能主義的な近代建築や都市計画に対する批判から、ピーター・スミッソンやチームXらにより、動的な建築や都市計画が提唱されることで、内部分裂が起き解散やむなきとなった。そのため、59年の第11回会議を最後に解散された。

その後、ＣＩＡＭ以降のモダニズム建築や都市の方向は「成長」「増殖」「変化」「移動」といった状況変化に即応する建築的な対応のあり方が重要なテーマとなっていった。ＣＩＡＭに暗雲立ち込めた１９５８年、日本では「世界デザイン会議」の開催準備がはじまり、60年5月に東京で建築家とデザイナーによる「世界デザイン会議」が大々的に開催された。このときは、世界中から著名な関係者が集まり日本からも多くの参加者が集まった。その中に丹下健三、大高正人、菊竹清訓、黒川紀章《くろかわきしょう》などが名を連ねた。この会議をきっかけに丹下健三に所縁のある川添登、黒川紀章、菊竹清訓、槇文彦、大高正人、榮久庵憲司《えくあんけんじ》、粟津潔《あわづきよし》の７名が集まり、「メタボリズムグループ」を発足させた。そして、冊子「METABOLISM/１９６０」をまとめ、各人のプロジェクトが収められた。この中に菊竹が温めてきていた海上都市計画が収録され、メタボリズムの概念である「変化」「増殖」が反映された構想提案が描かれていた。この冊子発行の前年すなわち59年2月に菊竹は「国際建築」、大高正人は「建築文化」と「国際建築」にそれぞれ東京湾を計画対象地とした「海上都市構想」を発表していた。

では丹下はどうしていたかというと、59年のＣＩＡＭ会議に参加の後アメリカＭＩＴに行き、「2万５０００人のためのコミュニティ計画」を学生らと練り上げた。この計画はボストン湾の海上に、高速道路と人工地盤およびこれを支える三角型の大架構から構成された人工島を造成し、そこに取り替え可能な住宅を配することで、都市の成長に対応してコミュニティのあり方が変化するという提案であった。この計画の内容は後に発表される「東京計画１９６０」への布石ともなった。ただ、このときは海の空間利用をテーマとしたものではなく、場所として海上を利用したに過ぎなかった。

こうして新たな建築や都市の概念を模索する建築家による海上都市構想は、国策としての海洋開発から導出されてきた考え方とは大きく異なるものであり、そこには陸域の都市の成長に対する代替地としての海の活用ではなく、新たな都市のあるべき姿を追及してきた結果としての海の利用であった。

そこで、東京湾を舞台とした海上都市構想をその発案順に追うことで、各々の時代の社会的・経済的状況などを背景として考慮しながら、そこに描き出された都市のあるべき姿を捉えることとする。

海上都市構想の原初的な発端は、初代の日本住宅公団総裁加納久朗《かのうひさあきら》からはじまり、大高正人、菊竹清訓、丹下健三と続き、その後もいくつかの構想が国内外の建築家らにより発表されてきた。ただし、この3名の建築家の考え方は傑出したもので、海に対する思いがそれぞれ非常に深かった。次節では海の上に都市をつくる発端となった加納構想を踏まえつつ、その後の3人の建築家の人物像を加味して海に描き出された都市像に込めた思いについて概観して行くことにする。

加納久朗の「東京湾埋立ニヨル新東京建設提案」

１９５８（昭和33年）年4月、当時、日本住宅公団総裁であった加納久朗は私案として「東京湾埋立ニヨル新東京建設提案」と「東京湾埋立ニヨル新東京建設計画ニツイテ（続キ）」を公表した。この加納構想がまとめられた冊子は、現在、都立中央図書館に保管されており閲覧可能である（6-5）。

このとき発表された加納構想は、海の上に都市をつくるという、それまで誰も夢想だにせず描き出すことすらなかった大胆かつ壮大な発想であった。このときの構想案はその後いくつも提案されてきた海上都市構想の原初であり端緒でもあり、後に発表されてきた海上都市構想に対して多くの示唆や影響を与え、先鞭をつけたものであった。この加納構想は海の上に都市をつくることで既存の陸域の都市が抱える問題を解決するという視点、海を都市問題の解決の場所として選定している視点、日本の経済発展を支える港湾や工業の用地確保を図る視点をもっていた。こうした視点が当時としては前代未聞の全く斬新な発想であり、後々まで加納構想を下敷きにして新たな発想が加味されながら、海上都市構想が描き出されるほどのものであった。この加納構想とはいかなるものか、ここではその海上都市構想を見ていくことにする。

加納が発表した東京湾埋め立てによる新東京の建設構想には、東京湾を埋め立てることによって近代的な港湾と臨海工業地帯を形成し、これを核としながら、首都を世界的な生産・消費都市に成長させていくという思いがあった。これは、まさに明治期初頭から叫ばれていた東京築港構想の延長上に位置付けられ、浅野総一郎が思い描いていた港湾と臨海工業地帯の造成構想の再現でもあった。

浅野総一郎とは、セメント産業を起こしたり、埋め立て事業により京浜工業地帯の形成に寄与し「コンクリート王」「京浜工業地帯の父」とも呼ばれ、前述したように、一代で浅野財閥を築き上げたその人である。

加納が描いた提案は、大きく2つの構想にわけられる。まず、1つは30年の歳月が要される東京湾の埋め立てによる「新東京」（加納は新名称として〝ヤマト〟としていた）の構想がある。この構想では埋め立て造成は東西の2つの区域にわけて行われ、東京湾の地図上で見ると、東京都中央区の晴海埠頭から、約37キロメートル南下した千葉県富津市の富津岬に向けて線を引き、その東半分の海域を全て埋め立て、同様に晴海埠頭から大田区羽田に向けて線を引き、西側の品川・大田区の海域を全て埋め立てるというもので、これにより東京湾内の東側に８０３平方キロメートル（2億４３００万坪）、西側に31平方キロメートル（９５０万坪）の埋立地をそれぞれ造成し、あわせて８３５平方キロメートル（2億５２５０万坪）の埋立地を生み出すことができ、東京都区部の面積５７８平方キロメートル（1億７５００万坪）を悠に超す新たな土地が真っ新な白紙状態で創出されるというものであった。この埋め立てにより千葉県内の船橋市、千葉市、木更津市は全て内陸の市街地となるが、千葉港の中央地区は港湾としてそのまま残され、羽田沖から東側埋立地内は直線状の運河で結ばれる。この埋め立てによって、新規につくり出される37キロメートルの直線状の海岸線は全て岸壁とされ、岸壁に沿って水深20メートルの航路が開削され、10万トン級の船舶が入港できる港湾を整備するとしていた。この線状の港湾地帯に沿って、南北に幅4キロメートル、計132平方キロメートル（4000万坪）の臨海工業地帯が配されることで港湾地域と結ばれる。臨海工業地帯の内陸側には幅3キロメートルのグリーンベルトが配され、そこに幅4キロメートルの住宅地帯が設けられ、港湾や臨海工業地帯で働く就業者の居住地区となる。そして、再び幅3キロメートルのグリーンベルトにより住宅地帯を挟み込むことで、東側埋立地の東部には230平方キロメートル（7000万坪）の土地が残され、これを新首都の都市区域に充当するという計画であった（6–6）。

この広大な空白の土地が「新東京」の新首都の中心地域となり、行政地域、文教地

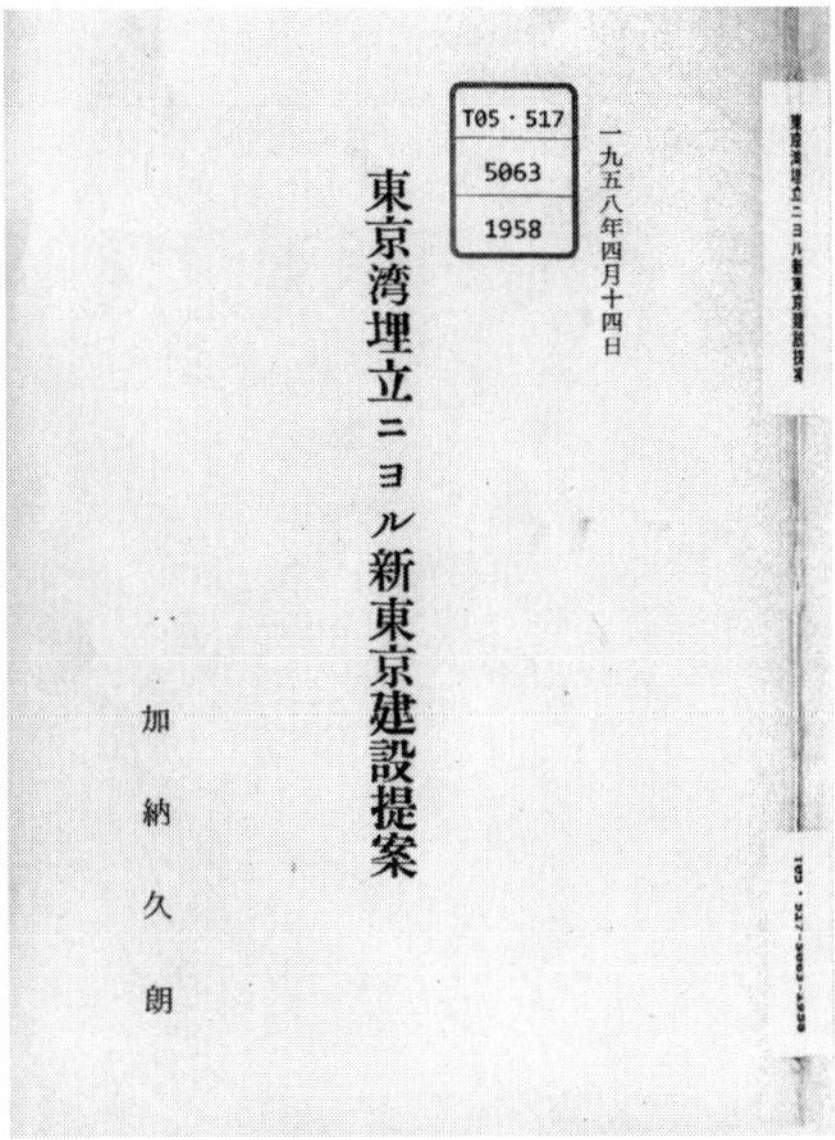

6–5 加納構想の表紙「東京湾埋立ニヨル新東京建設提案」 東京湾に描かれたはじめての海上都市構想。多くの建築家や都市計画家に海を利用するという鮮烈な印象を与えた

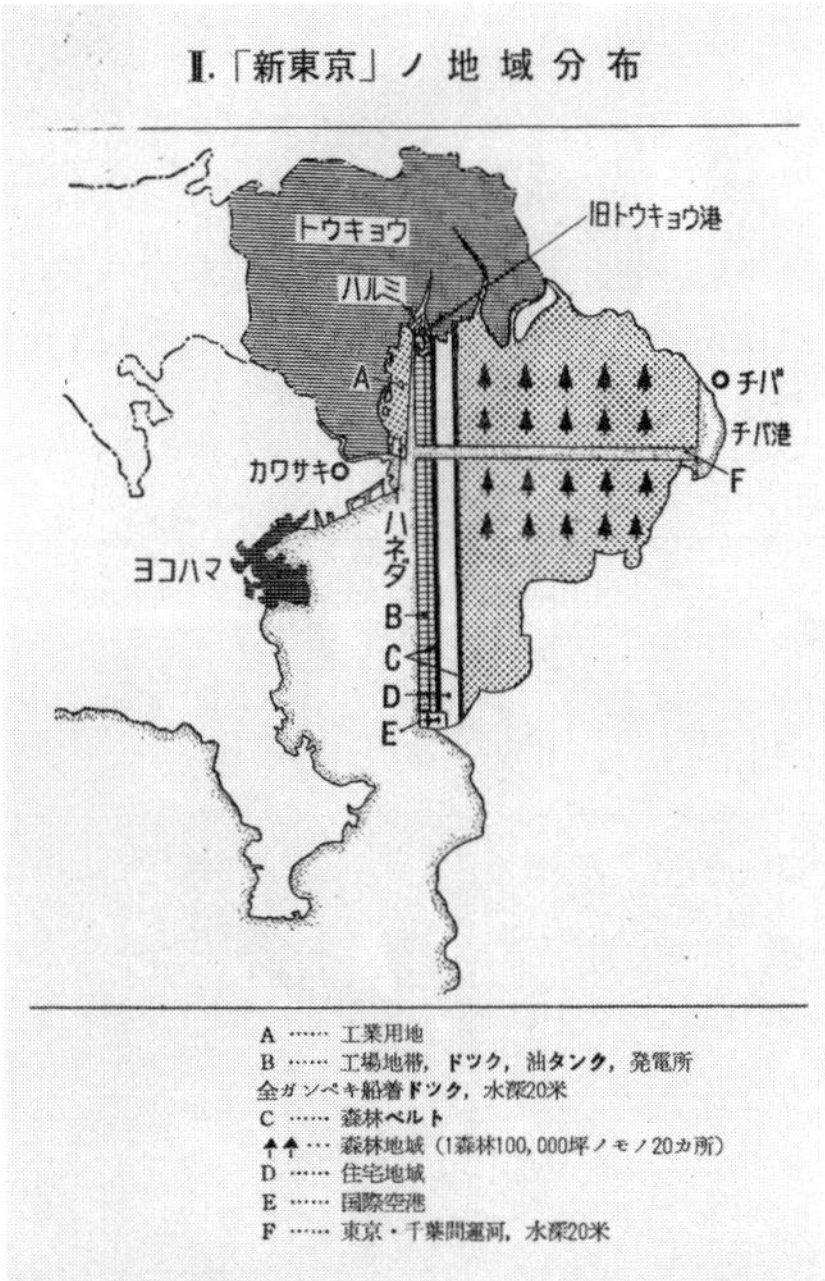

6-6 加納構想 東京湾の半分を埋め立て、新たな土地を生み出し港湾機能と新都市建設を構想（出典：「東京湾埋立ニヨル新東京建設提案」）

域、金融商業地域、住宅地域（新皇居も含まれる）を配し、そこに0・33平方キロメートル（10万坪）程度の森林公園を20か所ほど点在させる。「新東京」では、従来の日本の都市のように二次元に市街地が膨張していくことを防ぐため住宅の階数の下限を6階までに設定することとした。また、新東京では水道、電気などのインフラ整備は全て共同溝を導入し、市街地内における交通機関については全て地下鉄道とし、千葉の富津附近に国際空港を建設する。これとあわせて、利根川に貯水量10億トン規模のダムを建設し、霞ヶ浦と印旛沼《いんばぬま》はそれぞれ貯水池として開発し、新東京や臨海工業地帯のための水源として利用する。東京湾の埋め立て工事は、水深20メートルの航路を開削するときに排出される浚渫土砂や、房総半島内の鋸山《のこぎりやま》や鹿野山《かのうざん》などの山々を削り取り、その土砂を埋め立てに用いる。同時に平地となった旧山地地域は、新たに宅地や農地として開発し、「理想的農村」として農村新興につなげるとした。

この30年計画に対して、もう1つの構想は若干短く20年の歳月で完成する東京の再開発である。こちらは特殊法人を設立して推し進めるべきとしており、道路などの社会基盤は立体的に整備して、この整備とともに住宅の建て替えと建設を推進するとしている。また、この構想では皇居の解放を図り、公園整備と皇居貫通道路を整備する必要性を説いている。加納は既成の東京の再開発と東京湾埋め立てによる「新東京」の建設は同時に実行することが重要であると強調しており、東京の再開発を推進しても、もともとが無計画、無秩序に拡大した東京のため根本的に改良することは決して容易に行うことはできず、そのためには、どうしても別に新しい都市をつくっていかなければならないとした。ただし、その一方で新たな場づくりを行いつつも、古い場所の改善や再生も同時に行う必要があるとしており、そのためには、今ある東京の再開発を行い、都市改造の一環として皇居を解放しなければならないと説いた大胆なものであった。

加納構想の着想と狙い

加納久朗が「新東京」を東京湾の海の上に建設する構想を描いた動機を見ていくと、従来まで行われてきた対応方法では、第1に東京の都市人口の増大に対しては限界がある。第2に既存の土地では既得権などにより土地取得に困難が強いられる。第3に将来の成長を見越して工業地区と港湾機能を備える必要がある。こうした点を踏まえることで、東京の都市問題に関しては、全く新しい「空間開発」の手法を検討せざるを得ないと認識していた。そのため、地主も居住者もいない東京湾の海洋空間の利用を視野に入れていた。

加納は、東京湾の埋め立てについては、まず国家として東京湾埋め立てのマスタープランを立案しない限り収拾できないものと考え、すでに東京湾の沿岸域で計画ないし実施されてきている埋立地の造成を「目先の計画」として鋭く批判していた。加納はまず、構想の骨格をなすマスタープランを策定し、そのプランに則って埋め立てを進めることで、膨張する東京を支えるべく「新東京」を建設すべきだと主張した。

加納は地面を切り開いていくだけではなく、「領土を空へ伸ばす」との言葉に表されるように、建物の高層化を推進することにより土地問題の解決を図りながら、海の埋め立てを進めることで、「海域拡張」を図ることもあわせて主張し、新しい発想や技術によって人間の活動空間を増やしていくことを考えていた。そうした考え方を実現に移したいとして構想を描いていた。加納が埋め立てに対して高い関心を示したのは、オランダへの住宅視察による経験がもたらしたもので、そこで見た干拓事業に深く感銘を受けて埋め立て事業を「国づくり」として捉えることで、「新東京」建設の構想着想に至った。

東京湾を埋め立てて「新東京」を建設するという構想は、首都が膨張して膨れ上がって行くスピードに反してあらゆる施設の整備が追いついていないことに対する危機感と、自身が総裁を務める公団が、事業を進める過程の中で土地を巡りさまざまな障壁に直面した経験とを重ね合わせることで、埋め立てに対して強い関心を向けてることから生まれた。また、この頃の東京湾で計画実施されていた埋立地の造成に対する批判、工業と都市の関係に対する認識、オランダの干拓による領土拡大やインド・ブラジルで行われた新首都建設という前例、こうしたことが脳裏に重なり合うことで、つくり出されたものが、「新東京」の構想であった。

加納構想は、この頃の東京が抱える都市問題を解決することを意図して着想された以外にも、実は別の狙いがそこにはあった。それは、本構想を着想した第3の動機は「いまにして東京湾に立派な工業地区と最新式の港を建設すること」を通して、首都を世界的な生産・消費都市にするというものであった。この点は、たびたび加納が自身の構想を語る際に強調していたもので、単に東京の都市問題を解決するためだけに東京湾の埋め立てを主張するものではないとしていた。

事実、構想の発表から時間が経つにつれて、加納の東京湾埋め立てによる首都移転の考えは、次第にトーンダウンしていき、代わって港湾と工業地帯の造成構想に純化していった。1960年代に入ると、首都移転の必要はないとして、東京の再開発の推進派に転じた。加納は、数年先を見通した都市計画を立案して、40年ほどの計画で漸進的に東京の再開発を展開して行くことが、経済的であると指摘するようになった。

そのために⑴現東京を再開発することと並行して、⑵東京湾の3分の2を埋め立て、最も機能性のよい新式工業地帯と東京湾をつくって行くことを提案。58年の加納構想の発表以降、加納は各所で東京湾の埋め立ての必要性を説いてきた。加納は首都近傍に港湾と工業地帯を整備すべきとし、62年には、この構想を実現に移すため、千葉県知事選挙に自ら立候補し、千葉県政の舵取り役としての知事の椅子に座り、構想の具体化、実現化に取り組もうとしたが、知事に就任後わずか半年で急逝し、構想実現化は露と消えた。[3]

産業計画会議の「東京湾2億坪の埋立についての勧告」

産業計画会議は、1856年に設立されたシンクタンクで、ここが毎年発表する「勧告・提言」は大きな影響力を有していた。国鉄分割民営化、東京湾横断道路、新東京国際空港の建設など、提言の内容は後に実現に移されたものが多い。59年7月、産業計画会議の中に設けられた東京湾問題委員会で検討が重ねられてまとめられた「東京湾2億坪埋立についての勧告」が、後の「ネオ・トウキョウ・プラン」であった（6-7）。この埋め立て計画の検討は、第1試案から第4試案まで検討されることで、第4試案に地域計画が施され、A案はニコライ・ミリューチンの帯状都市形態、B案はコルビュジェの住工完全分離型工業都市とわけて各々検討が進められ、その後に都市計画や建築および港湾計画の各専門家に

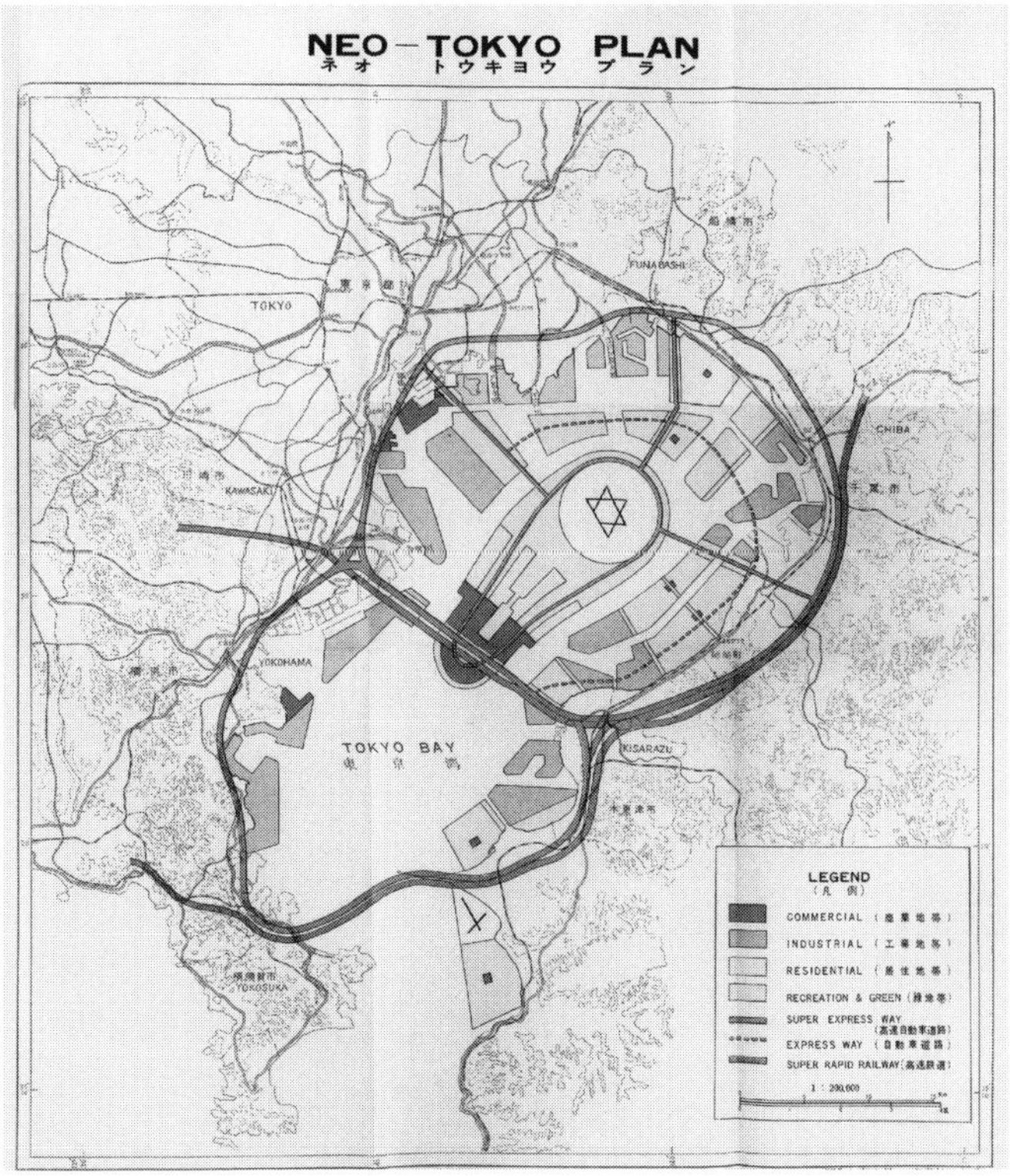

6-7 ネオ・トウキョウ・プラン 加納構想を下敷きにして描き出された構想。ただし、加納構想に見られた首都空間の埋立地への移転は描き出されていなかった（出典：産業計画会議編「東京湾２億坪埋立についての勧告」ダイヤモンド社1959.8）

対して諮問がなされ、その結果を踏まえて、最終的に作成されたのが「ネオ・トウキョウ・プラン」であった。

この検討が行われていた半年ほど前の1959年2月には、菊竹清訓と大高正人の2人の建築家が、相次いで浮体式工法や杭式工法を用いた海上都市構想を発表した。このことを受けて、産業計画会議においても干拓式・浮体式・杭式の3つの工法による検討がなされたが、結果的には浮体式・杭式は非合理性や技術的に未成熟といった評価が下され、従来通りの埋め立て工法が選択された。ただし、この計画は海岸線の埋め立てと島状の埋立地の組合せによる変更が図られることで、埋め立て総面積は加納構想の2億5250万坪から1億8000万坪へと大幅な縮小が図られていた。この計画は第2加納構想とも呼べるもので、内容的にはおおむね加納構想を踏襲していたが、決定的に異なる点は加納構想に見られた首都空間の埋立地への移転がなくなっていたことがある。

加納構想では、発展と混乱の板挟みであえいでいる「東京」の悩みを解決する道筋として、東京湾に注目することで、湾内に大型タンカーが接岸できる港湾や工業地帯を順次建設することにより、アジア経済の中心地として東京を発展させることができるとし、東京湾の大規模な埋め立てにより、それが可能になると指摘していた。

加納久朗は、出自の関係により若年時から、公益や社会資本整備の増進が国富の原動力になると考えていた。貿易銀行に入行して以来、海外支店での勤めが長期にわたって続いたことから、貿易の発展を通じた経済成長の重要性をよく理解しており、国際感覚も豊富であった。こうした加納の特質は戦後住宅難の解消を責務として設立された日本住宅公団総裁就任につながり、職務遂行に生かされていった。加納が陣頭指揮をとった住宅公団では、宅地造成やニュータウン建設などによって住宅難の解消が試みられたが、建設のための適地が不足していたり、地主の説得や土地の取得に対して反対運動が起きるなど、必ずしも順調な進行とはいえなかった。特に地主の主張は加納の信条からは相容れるものではなかった。そのため、加納は先行きに危機感を抱きながら人口や産業の分散策にも否定的な見方をしていた。

こうしたことから加納は、「領土拡張」としての建築の高層化や海域の埋め立て造成の持論を長年温めていた。先述したようにオランダの干拓事業やニューデリーやブラジリアの建設を視察することで大きな影響を受け、東京湾を埋め立てることにより、東京の拡張域や中枢空間をつくり出すことができるとする構想を思い描き、新東京の建設提案を発表するに至った。

しかし、加納の構想の本来の狙いは、住宅公団総裁として東京の都市問題の解決のためだけに東京湾を埋め立てるのではなく、最大の目的は港湾と工業地帯の整備を通じて貿易を振興させ、東京を発展させ、ひいては日本を発展させることであった[4]。

6-3

大高正人の東京湾海上帯状都市構想

海を海として使う

1959（昭和34）年2月、大高正人は『建築文化』『国際建築』の2誌に同時に、東京湾を計画対象地とした「海上帯状都市」構想を発表した（6-8・6-9）。建築文化では「高層アパートを配置した新しい住宅地の提案と東京湾上都市」(1)と題したもので、住都公団初の高層アパートが晴海の埋立地に建設され、その特集号に同時に掲載されたものであった。国際建築においては「海上都市の形態」という特集の中で、「東京湾につくる海上都市」(2)と題した論文が掲載された。

大高はこの当時は前川國男建築設計事務所に在籍しており、58年に日本住宅公団にとっては初となる通称「晴海高層アパート」を、東京都中央区晴海の埋立地に竣工した。この設計を担当したのが大高であった。高層集合住宅がまだ一般的な存在ではない時代の晴海高層アパートは、この頃顕在化しはじめた都市問題への対応策と次世代の都市生活のあり方を模索した実験的要素を含んだ住宅でもあった。このときつくられた晴海アパートの一室は、現在、八王子にある公団住宅の中に復元保存されている。

海上帯状都市構想に見る「海上に都市をつくる」という着想の背景には、住宅公団総裁の加納久朗による1958年発表の「東京湾埋立ニヨル新東京建設提案」があった。

大高は、『建築文化』や『国際建築』の誌上において、アメリカとソ連（現・ロシア）の宇宙開発競争や工業生産のさらなる拡大、これまで後進地域であった東欧・中近東・アジア諸国における工業化のはじまりなど、世界や社会の動きを踏まえて、20世紀後半は人類史上未曾有の工業化、建設が進む時代になると予測しながら、こうした世界各国の力強い革新の動向と比較して日本の都市や工業の発展は、「うたかたの努力」「風にそよぐ葦」と痛烈な表現を交えながら、都市に低層の建物が増長して周辺の農地を侵食する傍らで、干拓によって農地の拡大が図られている現状や既成の手法を踏襲した新規性のない都市再開発や衛星都市の建設、目先の工業推進計画などについて批判的な考え方をしていた。

大高は建築家として工業国日本の都市建設を俯瞰し、その手法や形態に斬新さや新規性が全く見られないことに閉塞感や問題意識を感じていた。その一方で、日本が海洋国家であるが故の立地や位置的特性および環境的特性を積極的に活用することになれば、未だ工業発展の余地は潜在的に残されてきているとしながら、効率的な産業都市を建設できる可能性は十二分にあると指摘していた。

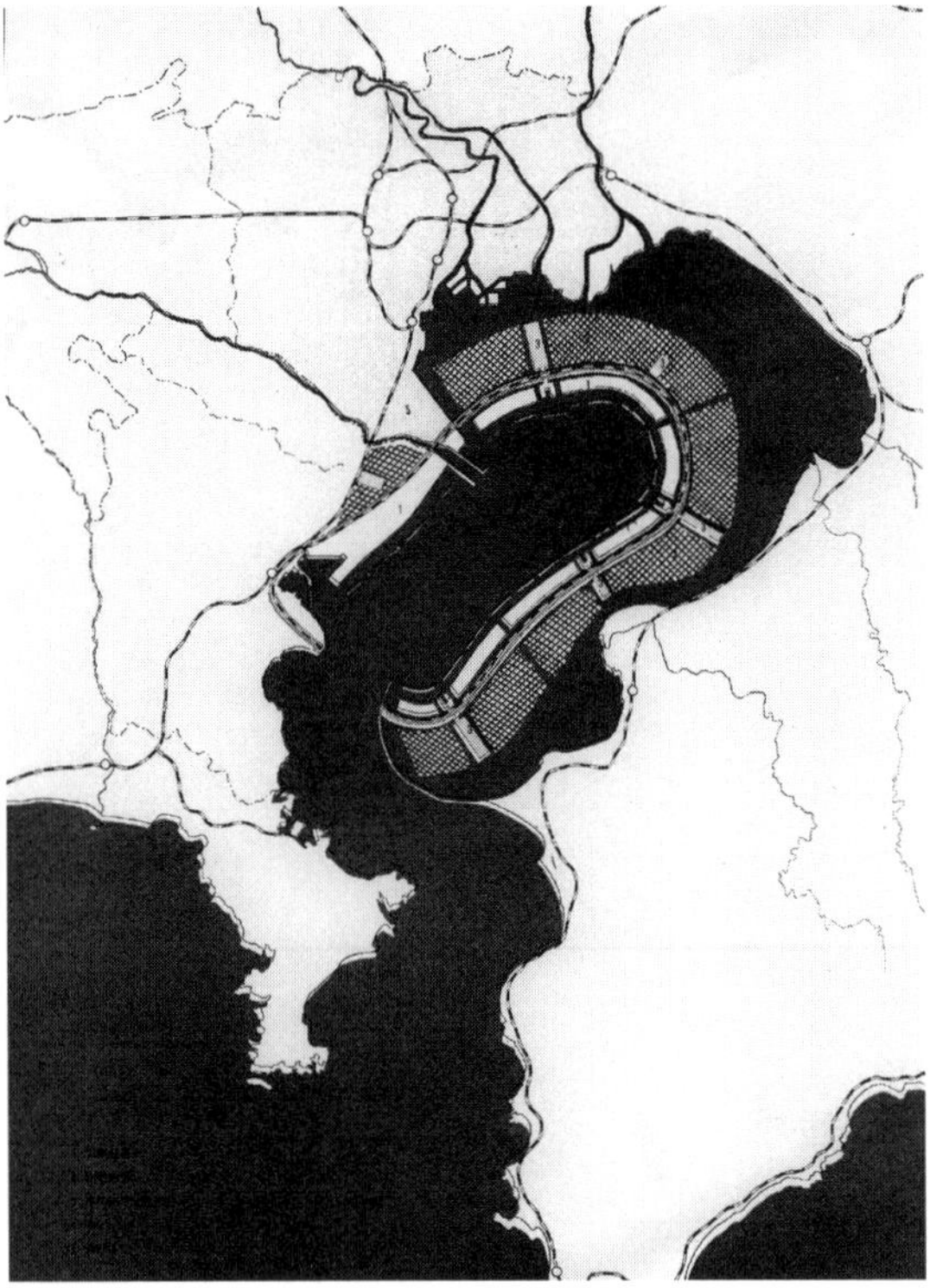

6-8 海上帯状都市 海上に都市をつくることを謳った初の海上都市構想、海を海として使うことが主張された（出典：『建築文化』vol.14 No.2 彰国社1959）

大高は加納構想に接して、東京湾を埋め立てて新しい東京をつくり上げるという大胆なスケールの都市建設構想に強い感銘を受け、「根本的に優れた計画」「痛快な計画」と評価しながらも、一方で前例にとらわれない大胆かつ革新的な構想が、専門家による検討が重ねられてゆく間に次第に実現容易なものへと矮小化され、陳腐化していくことについて懸念を抱いていた。

特に産業計画会議による「ネオ・トウキョ

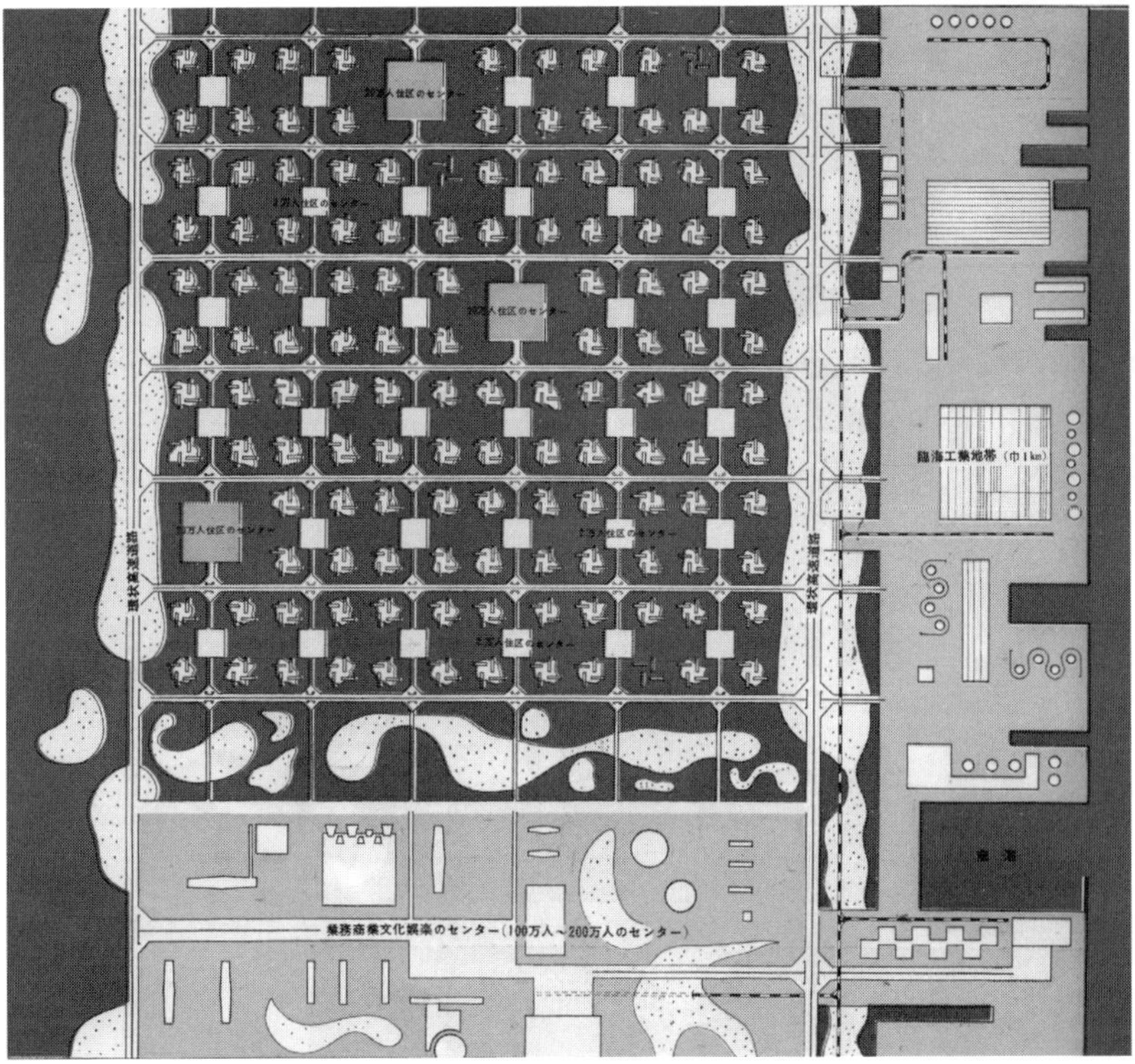

6-9　海上帯状都市（2万人住区の模型図）（出典：前掲『建築文化』vol.14 No.2）

ウ・プラン」への矮小化された加納構想の修正案に対しては、批判的な見方をしており、加納構想の良い所を全くなくしてしまっていると一刀両断に切り捨てた。大高の海上帯状都市の「海域活用」の発想は加納構想に影響を受けることで創出されたものであり、大高自身も加納構想の革新性を高く評価して、それを都市的建築的に「もう一歩前身」させたものがほかならぬ「海上帯状都市構想」であると明言していた。

海上帯状都市は、加納構想の中で職住近接の港湾直結臨海工業地帯を造成する考え方を「大幅に前進」させ、海沿いに面した港湾と工業空間・居住空間の2本の帯を創出したものであり、東京湾の水深17～20メートルの等深線に沿って屈曲した形状で配された東京湾特有の地形を生かすことで描き出された計画であった。この等深線から陸上方面にかけては防波堤に沿った港湾と臨海工業地帯を1キロメートルほどの幅で帯状に造成し、そのさらに陸側には居住空間と業務・商業・文化・娯楽などを担う都市中枢空

6-10　加納構想との違い　海を埋め立てずに海として活かすことで海洋レクリエーションが楽しめることを主張した（出典：建築文化』No.148、1959.2）

間を臨海工業地帯に沿って配し、東京湾上に新たな東京を構築し、その後にこれまでの東京はすべて農地に還すことを提案していた。

大高の海上帯状都市は加納構想と同様に能率的な工業都市の建設を1つの目的として据えて、都市配置は港湾に依存し海陸運搬の連繋が図られた港湾を建設し、これと密接な位置に臨海工業地帯を造成し、原料の搬入と製品の輸出を円滑に行う。あわせて2万人規模が居住する高層アパート群を1つの単位とした居住区を配する。こうした大高の東京湾構想も、港湾の建設を通して東京の都市の再構築を指向したものといえるが、加納がもっぱら経済的な観点から構想を打ち出しているのに対して、大高は自身が専門とする建築家の立場から加納構想を磨きあげたものといえる。特に大高は海域を人間の生活空間として開発する際に、埋め立てでは合理性が低いと指摘し、海域に建物を建設する場合、基礎を岩盤面まで伸ばす必要があるため、もはや海域を面的に埋める必要はなく、要所のみ埋め立て、建物や道路などは基礎杭で海上に浮いた状態で配置することが合理的であると提案した（6-10）。

こうした発想は晴海の埋立地での高層アパートの設計に従事することで得た経験からのものといえる。加納構想では切り捨てられていた海洋空間の有する快適性や親水機能を海上都市での生活に積極的に生かし、居住者のレクリエーションに海を用いることを併せて提案した計画・デザインはまさに建築家ならではの発想といえる。[5]

6-4

東大・丹下健三研究室の「東京計画1960」

1000万都市・東京をどうするか

大高正人が「海上帯状都市」を発表した2年後の1961（昭和36）年東京大学都市工学科丹下研究室もそれまで温めてきていた海上都市構想「東京計画1960」を満を持して発表した。

「東京計画1960」（6-11）は、東京都の総人口が1000万の大台にのることが間近に迫った状況の下において、人口の集中によって引き起こされる都市機能の混乱を新しい都市構造の構築によって打開することを目指して立案されたものであった。

1000万人もの人々が東京に一局集中することで生まれる「1000万都市・東京」では、都市の本質的な機能はもはや工業生産ではなくなる。そのため、工業の分散や再配置を図っても東京への人口集中は根本的に止めることは不可能であるとの認識を背景にして、丹下らは1000万都市にふさわしい新しい都市構造の構築と移行を「東京計画1960」として提案した。

丹下らは都心という概念を否定して、脊髄動物の成長からヒントを得た「都市軸」という新しい概念の導入を図ることで、従来までの求心型・放射状という「閉じた系」から、線型・平行射状の「開いた系」へと都市構造を改めようと考えていた。そのため、都市軸は東京都心を起点として発展して行かねばならないと考えていた。当時、丹下はニワトリが卵から成長する過程において脊髄が成長することに感銘を受けて、これをヒントにして脊髄となる都市の軸線は、社会基盤としての道路によるサイクル・トランスポーテーション・システムが骨格となり神経系となり、成長の軸となり、安定の軸ともなるとした。

6-11 「東京計画1960」 丹下健三によって提案された海上都市構想。1000万人東京の将来に対して人口集中による都市機能の混乱を新しい都市構造構築によって打開することを目指した（出典：『東京計画1960—その構造改革の提案』丹下健三研究室1961．3）

また、丹下は、海の使い方において厳島神社に見られる平清盛の考え方を踏襲していた。清盛が海の上に厳島神社の社殿を建てることを具体化したのは、単に奇をてらって海の上に建築をわざわざ建てたのではなく、来たるべき時代の中で「海」を如何に使うか、「海」を使うことが、国力を高めることにもつながると考えることで、それまで蓄積してきた経験に基づき厳島神社を海の上につくりあげた。こうした「かたちあるもの、すなわち建築」により海を使うことを可視化し、見せるといった清盛の考え方に触発され、厳島神社から得たアイデアを現代的な建築や都市の計画にアレンジし反映したものが「東京計画１９６０」であった。

「東京計画１９６０」以前に、丹下は広島平和記念公園の計画において、平清盛が厳島神社の建立の際に取り入れた本殿から沖合の大鳥居に向けて引いたまっすぐな「聖なる軸」が、本殿と大鳥居を関係づけているが、この聖なる軸線と同様の考え方により、平和記念公園に据えられた各建物を関係づけている。それは平和記念資料館の中心からまっすぐ北に向かって延びる軸線上に原爆ドームを据えることで、平和への願いを込めてドームの象徴性を巧みに演出している。しかし、厳島神社の空間の配置構成をより詳しく読み解くために、厳島（宮島）をより高い目線から俯瞰的に見てみると気が付くことがある。地図を広げて厳島と本州を見てみると、先にも述べたが、内宮としての厳島神社の海を越えた対岸に位置する場所におかれた外宮としての地御前神社と厳島神社とその背後の弥山の頂部の奥宮としての御山神社とが一直線に結ばれることを見て取ることができる。おそらく丹下は丹念に厳島神社やその周辺を見ることにより、このことを見逃さなかったものと思われる。丹下は平和記念資料館を外宮に見立て、慰霊碑を内宮すなわち厳島神社と見立て、原爆ドームを奥宮すなわち御山神社として見立て、それらを一直線上に配することで、それぞれの役割や位置づけを明確にしたのではないだろうか。鈴木博之の著書『日本の地霊（ゲニウス・ロキ）』では、丹下が厳島神社の「聖なる軸」の影響を受けていることを紐解いているが、それをさらに一歩踏み込んで考えるならば、軸線だけではなくそこに配された慰霊のための建築物の役割を踏まえた配置構成についても厳島神社に見られる配置構成を引用することで、平和記念公園全体の空間をつくりあげているように思えてくる。この軸線の活用については後に「東京計画１９６０」においても生かされている。

丹下は、東京湾の上に構想を描くにあたり、以下のような考え方をもっていた。すなわち、都心近傍から広がる全く開発されていない手つかずの広大な空白地が、まさに東京の目の前に広がる東京湾であった。海洋空間を「利権に汚れていない」空間と位置付けることで、土地から遊離した都市を海の上につくり出すことで新たな空間的価値を生み出すことを考えた。あわせて、海洋国家に住んでいながら海洋空間と別離してしまっている日本人が、生活に海を取り戻し、快適な生活環境を手に入れることを期待した。

この考え方の根底には、丹下の海への深い思いがあった。丹下はこの頃の座談会（１９５５年の「東京の都市計画」）や読売新聞紙上（１９５５年12月18日）で、「海」への思いを語っており、新聞紙上では「東京に住んでいる人が東京に海のあることを知らないんだ。だいたい東京の人は埋立地は工業地帯になるという気持ちをもつている。東京湾の存在を知らないし、海の楽しいふんい気を享受できないのは東京の人の致命傷じゃないかと思う」と語っている。このことを藤森照信《ふじもりてるのぶ》が書き記している。こうした思いを背景に東京に理想的な都市構造（空間）を構築するため、丹下らは新しいフィールドとして東京湾に白羽の矢を立てたのであった。では、いつ頃から自身の建築活動や東京の都市改造の舞台として海洋空間、すなわち東京湾をにらんでいたのであろうか。

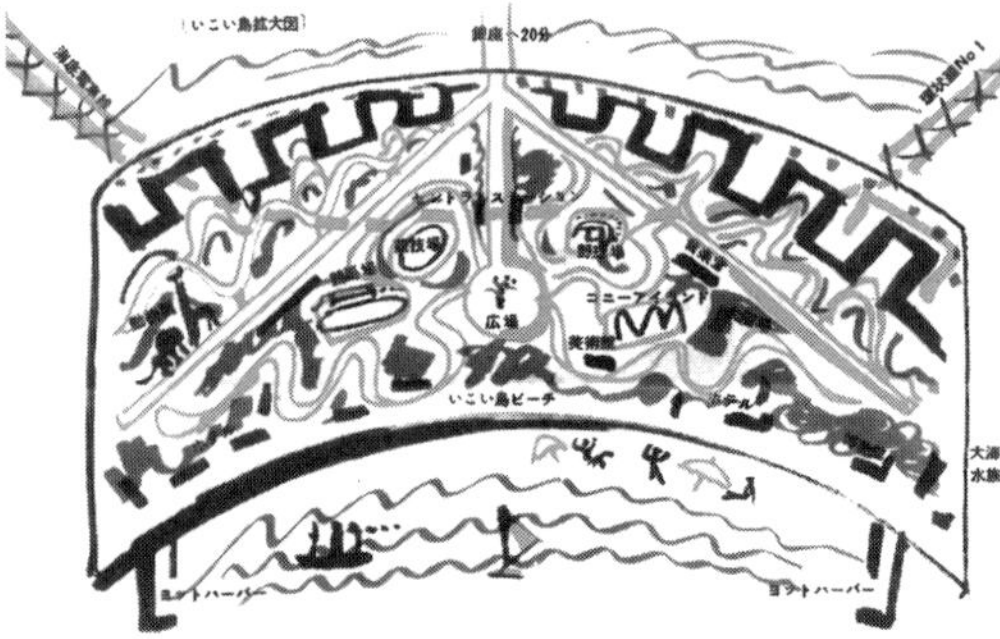

6-12 いこい島 岡本太郎が描いた人工島で東京計画1960にも海の考え方は踏襲された（出典：丹下健三・藤森照信『丹下健三』新建築社、2002・9）

海洋空間を都市生活に取り戻す

丹下は人間の都市生活に自然環境を採り込み融合させることの重要性を深く認識しており、その認識のなかには要素として「海」も含まれていた。しかしながら、東京湾上の空間を利用して都市をつくるというアイデア自体は、大高正人の「海上帯状都市」構想と同じように、加納久朗の東京湾埋め立て構想から影響を受けたものであった。

丹下と加納は、加納が1953年に自身の構想を発表する前から親交をもつ仲で、丹下は加納が構想を発表する前からその意図を知り、その構想に込められた中身の斬新さに衝撃を受けていた。加納は丹下に向かって東京湾を埋め立てることにより「東京都というものを東京湾の中に別にもう1つ建設する」ことを提案していた。このように丹下は加納からたびたび東京湾を活用して都市をつくるという考え（コンセプト）やアイデアを直接聞く機会があり、東京の将来像を構想する際の手法としてこうしたコンセプトを後の「東京計画1960」に反映していった。

丹下は先に示したように東京の人は「海」の楽しい雰囲気を知らないと指摘してお

り、当時の岡本太郎の提案する「いこい島」にも魅力を感じていた（6-12）。こうして丹下を取り巻く賢者が相次いで斬新なアイデアを提案する中で、建築家としてのCIAM以降の建築や都市が抱える「成長」「移動」などへの模索の思いやボストンの人工島構想での経験を踏まえ、「東京計画1960」を構想した。

丹下の考えについては、1960年7月から半年間にわたって朝日新聞朝刊に連載された丹下の執筆コラム「きのう・きょう」に、その足跡をたどることができる。そこでは、「首都計画に構想をもて」と激励して、「首都式年遷都説」において、東京の抱える都市問題の解決のためには「旧東京」と連動できる新たな第2の東京をつくる必要があり、そのためには、加納構想の提唱する東京湾の海の上の利用以外にはないと指摘した。そして、ここでいう新しい東京とは工業配置のみに終わる埋立地をつくることではなく、都市中枢空間や居住空間と生産空間が調和した総合的な都市空間をつくるべきだと指摘した。そのため、鉄道輸送における旅客輸送の拠点は東京湾の上に配して、都市内にある貨物輸送の拠点は新しい埋立地の工業地帯内部に配するべきとした。いずれものちの「東京計画1960」に反映された。

丹下は、1960年10月に『週刊朝日』に「海の上に五百万—新東京計画が実現すれば」と題して寄稿している（6-13）。これは「東京計画1960」の試案を公表したものである。ここで丹下は、すでに述べてきたような東京の抱える都市問題を指摘しつつ、再び加納構想を評価することで、無秩序に進む東京湾の埋め立てによる工業用地造成を批判している。この「東京計画1960」の試案である「新東京の計画図」を見ると、丹下が加納構想を高く評価していることからも推察されるように、晴海から富津にかけての一直線の埋め立てラインはそのまま踏襲しており、さらに千葉港を残して運河により東京湾と連絡するという考え方も生かしていた。加納構想と異なるのは、連絡運河の東京湾口を東京港に引き上げて、運河に沿って千葉の沿岸を埋め立てて京葉工業地帯と港湾を造成するという点である。加納は海上輸送の効率化の観点から、東京湾口から一番進入が容易で最短になるように港湾と臨海工業地帯を配していた。これによって、姉ヶ崎・木更津方面から台形状に埋め立てられる湾央部には、湾から引き込まれた水面が適所に配され、そこに官庁・業務・文化・商業地区と住居地域が配され、東京都心部からは高速道路と鉄道が組み合わされた2本の都市軸で結ばれてい

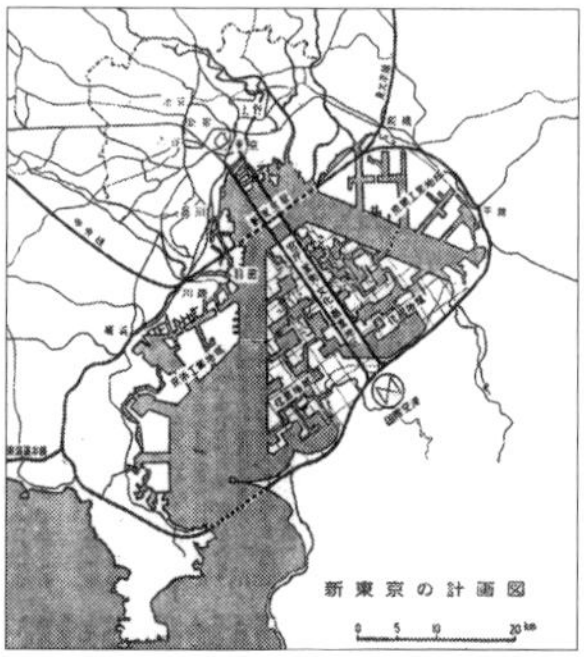

6-13 **「東京計画1960試案」**「海の上に五百万―新東京計画が実現すれば」構想図。加納構想の影響を受け晴海から富津にかけての一直線の埋め立てラインを踏襲して描かれた（出典：丹下健三「海の上に五百万―新東京計画が実現すれば」週刊朝日、1960 Vol.65.No.44）

た。丹下はさらに、埋め立てによる「新東京計画」が「人工島住居」へ発展する可能性についても言及していた。大高の「海上帯状都市」と同様に、単に埋め立てだけを行うのではなく、杭式や浮体式など、新しい技術を用いることについても提言していた。これは弟子の黒川紀章などが東京湾埋め立てに対して強く反対していたことも関係しており、「新東京の計画図」では埋め立てによる都市建設であったが、「東京計画１９６０」では埋め立てと人工地盤の折衷案へと変わった。

丹下は、東京湾上での都市構築という構想を検討する以前から、前述したように東京での都市生活に自然が取り込まれていないことを憂いており、東京の接する東京湾という海洋空間のもつ親水機能に対してその重要性を認識していた。また、加納久朗の東京湾埋め立て構想から影響を受けることで、東京改造の手法として「都市軸」という新たな概念を持ち込んだ。その際、その建設に最も適した空間として東京湾の海洋空間を選択していた。加納や大高は、港湾を軸として工業地帯や都市空間を東京湾に構築していこうとしたが、丹下は１０００万都市・東京における工業はもはや副次的機能に過ぎないとして、「東京計画１９６０」における港湾や工業地帯は、すでに進んでいた京浜京葉の沿岸地域での埋め立て造成計画に追従する形で配置するに過ぎなかった。丹下はあくまでも東京湾の海上につくられる都市軸は、大量高速輸送施設によって結びつけられた都市軸であり、「東京計画１９６０」に海上輸送の話題は全くといってよいほど見ることはない。丹下はむしろ、港湾や工業地帯に独占されている東京の海洋空間を、都市生活に取り戻そうとしていた。

加納も丹下も、東京の将来を考えたうえで、東京湾における都市構築を目指してい

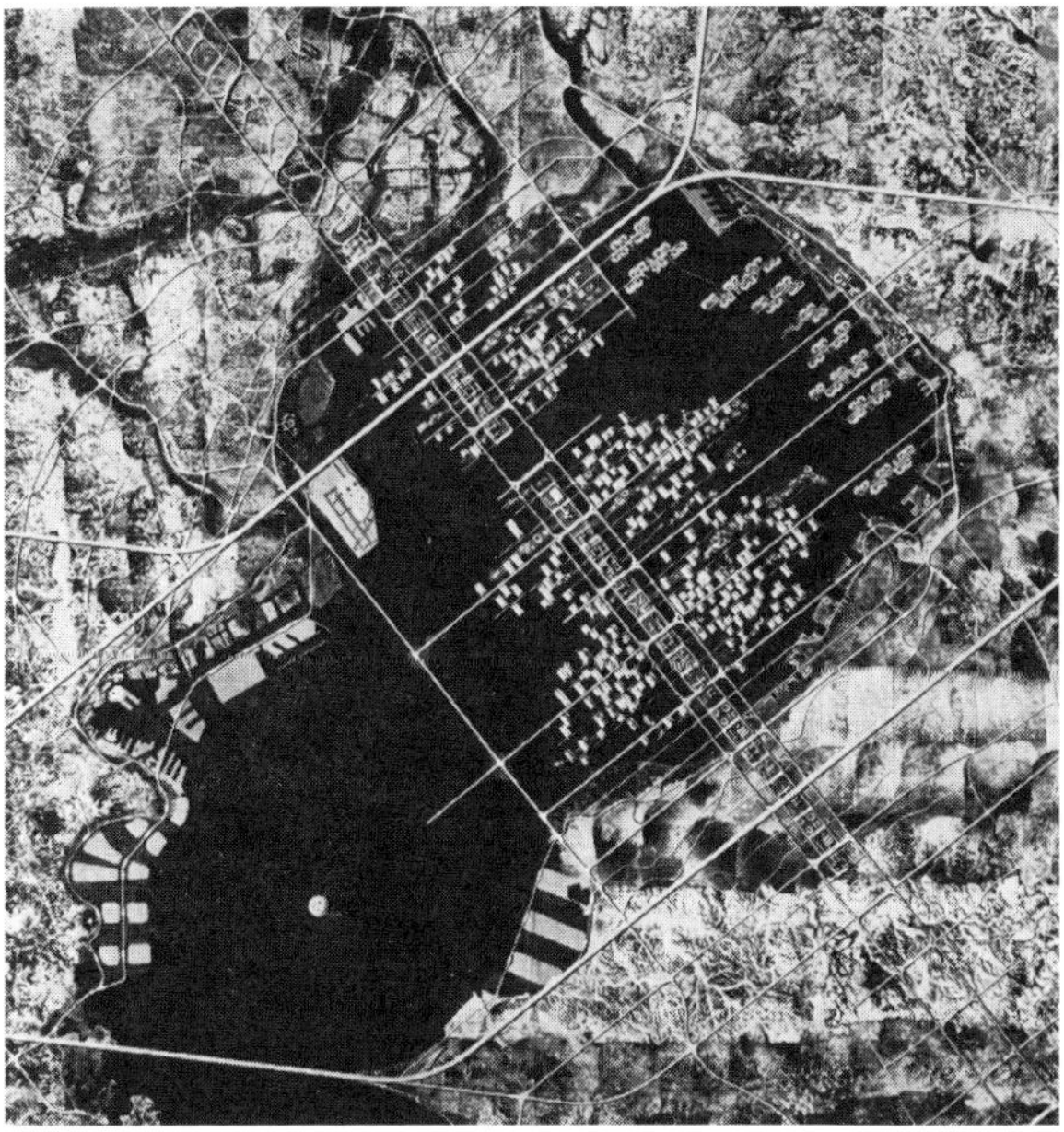

6-14　東京計画1960-2000　海上に新たな浮体式住区が加えられた（出典：『新建築』「アーバンデザインの系譜」1971、8月号）

た。丹下の東京湾進出は加納の影響を受けたものであったが、加納が港湾を都市構築の軸に据えているのに対して、丹下にとっては「都市軸」が主であり、港湾は二の次となっていた。海上輸送という海洋の主要な機能には無関心であった丹下ではあるが、その一方で、加納が関心をあまり示していなかった東京の都市生活者に対する海洋景観の重要性や意義については述べていた。

加納構想は、東京築港構想の系譜を汲んだ構想であり、「東京計画１９６０」も加納構想を礎としながら、建築家丹下健三の描く都市像においては、築港構想は読み替えられ外されることにより、丹下らは東京湾中央部を都市生活者に広く解放することを可能にした。「海の楽しい雰囲気を享受」できるように、「人間とほんとの自然が向かい合っている」都市空間を丹下はつくろうとした。

その後、「東京計画１９６０」を東海道メガロポリスの中に位置づけ発展させる必要があるとして、「東京計画１９６０‐２０００」（6‐14）へと発展させるなかで、都市構造そのものの改革なしには東京は救えないとして都市軸と緑の軸を主構造として投入することで、東京湾の海洋空間の利用という「テコ」により、東京を変身させようと新たに浮遊構造の住居群が提案に加えられた。この構想は１９７１年に『新建築』８月号の特集「アーバンデザインの系譜」の中で発表された。[6,7,8]

6-5 菊竹清訓の「東京湾計画１９６１」

浮かぶ海上都市

メタボリズムグループの１人建築家の菊竹清訓が東京湾を計画対象地とした海上都市構想「東京湾計画１９６１」（6－15）を公表したのは、丹下健三らの「東京計画１９６０」の発表から８か月後１９６１（昭和36）年11月のことであった。この構想の発表前に菊竹は海上都市構想を多数検討しており、どの建築家よりも精力的に海の利用構想を練っていた。

この一連の構想提案の発表を通じて、後にアメリカ・ハワイ大学からアメリカ建国２００年祭のための博覧会場を海の上に建設するビッグプロジェクトへの参加要請を受け、「ハワイ海上都市構想」（6－16・6－17）の実現化を目指した。プロジェクトはハワイ大学海洋工学部のジョン・Ｐ・クレイバン教授を中心にして進められ、アメリカ建国２００年を祝う国際博覧会を開催するため、会場の計画が菊竹に任された。この会場はオアフ島ワイキキ沖３マイルの海の上に設置するという壮大なもので、会場に

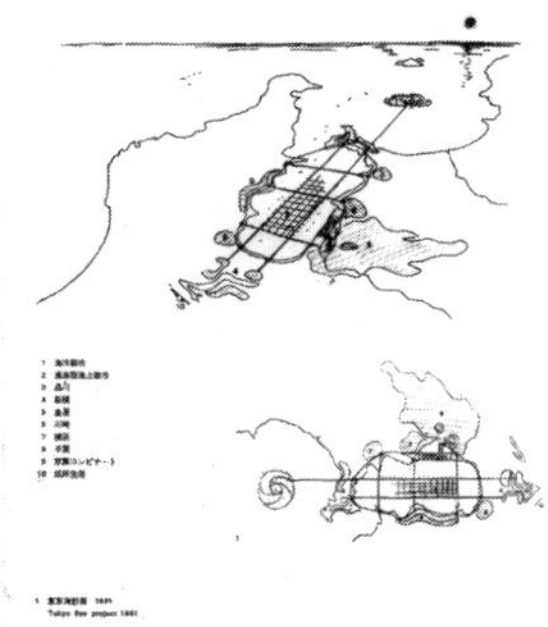

6-15　東京湾計画1961（出典：菊竹清訓編『菊竹清訓　構想と計画』美術出版社、1978.12）

は3万人の入場者が収容できるという、それまでにはなかった海のド真ん中に浮かぶ海上都市の構想であった。この会場の実証モデルが2分の1のスケールで製作され各種の実験が行われ実現化が着々と進められた。しかし、折からのニクソンショック（1971年当時のニクソン大統領が金とドルの交換停止を含む一連の経済政策を発表し世界経済に大きな影響を与えた）の影響を受けて、資金目途がいき詰まり計画は中断を余儀なくされた。このアメリカでの海上都市の実現化は頓挫したが、代わって日本においては念願の沖縄の本土復帰が実現化することで、75年に沖縄海洋博覧会が開催されることになった。日本政府のパビリオンとして未来の海上都市モデル「アクアポリス」が出展されることになり、この空間プロデューサーを菊竹が務めることになった。このときのパビリオンは開催までに浮体式構造物をゼロから開発するためには時間的制約があり、既存技術として確立されていた半潜水式の石油掘削リグを改造して用いることになった。100メートル×100メートルの規模をもつリグは菊竹の描いていた海上都市の姿とは全く異なっていたが、それでも世界に先駆けて具現化された初めての海上都市のモデルであった。

これに先立つこと10年前にメタボリズムグループの一員として、そのメタボリズム建築の概念を盛り込んだ海上都市構想は、「東京湾計画1961」として発表された。この構想計画は、それ以前に菊竹が発表した浮体式の海上都市構想の考え方を踏襲したもので、東京都江東区では、区内の地下水汲み上げにより地盤沈下を起こし、海抜ゼロメートル地域と呼ばれる水没の危機をはらんだ地区となっていた状況を踏まえ、防災上の観点から再開発を意図した提案であった。ちなみに菊竹は、1992年に竣

6-16　ハワイ海上都市構想　アメリカ建国200年を祝ってハワイ・ワイキキ沖に計画された。実現化を前提としてハワイ大学などと計画が進められていたが、国内経済不況で頓挫した

（次ページ）
6-17　ハワイ海上都市の実験モデル　2分の1の実機モデルがつくられ、実海域での揺れや安定性に関する実験が行われた

工した江戸東京博物館の計画で、隅田川に近い敷地を見たとき、万一水害に見舞われた場合に避難できる場所が必要と考え、人工地盤を設けた。

この江東計画では、海抜ゼロメートル地帯となる区内の建物を一掃排除した後、一帯を5メートルほどの規模で開削していき水面につくり変え、そこに浮体式の人工地盤を設置して新しい住環境を創出しようとする構想であった。菊竹のいう「浮かぶ都市の考え方」とは、1959年『国際建築』誌上に発表された「海上都市」以来提案されてきたもので、菊竹が温めてきた浮体式人工地盤による新たな都市建設構想を指したものであった。今日、「浮かぶ」ことは珍しいものではないが、当時は「浮かぶ海上都市」に世界は驚愕した。

菊竹は59年に、浮体式の「海上都市構想」（注：後に「海上都市1958」と呼ばれる）を初めて発表したが、この構想は菊竹の「人工土地」の実現に関する検討が発端となっていた（6-18）。菊竹は国内外の爆発的な人口増加を目のあたりにしながら誰もが住宅の確保を保障されるようにするには、水平に拡がる都市とは決別することが不可欠であると主張し、都市空間の立体化を提案していた。しかしながら、その立体化による「人工土地」は、水平スラブの重層架構のような単に地上面の複製として平面的に広がるものでは所有権の問題が引き続き発生する恐れがあると指摘した上で、菊竹は「土地—住宅—住む、という1つの考えのルートをハッキリと断ち切りたい」と言い、都市問題の原因のひとつとなっている土地の所有権問題を克服するためには、新しい人工土地は垂直に伸びる「壁」でなければならないと主張した。そこで菊竹は1250戸、5000人が居住可能な円筒状の人工土地「塔状都市」を考案した。塔

を構成する円筒の壁面には１２５０の居住ユニットが取り付けられており、この円筒には塔状都市における生活を支援維持するためのショッピングスペースや上下水道冷暖房などの施設設備系統もあらかじめ配されたものであった。こうした発想は、後に同じメタボリズムグループの黒川紀章が設計して汐留《しおどめ》に建てられた「中銀《なかぎん》カプセルタワービル」において、この概念を採用したことが知られている。

　ただし、菊竹はこうした立体の塔状都市の建設だけでは人口増や土地問題には到底対応しきれないものと認識しており、一方で、日本の大都市は総じて海岸に位置していることをにらみつつ、海洋の空間利用を思考し、その当時、各地で進められていた埋め立て造成を否定することで新たな方法論を検討していた。菊竹の海洋空間に対する考え方を後押ししたものは、１９５７年10月4日にソ連（現・ロシア）が、世界初の人工衛星「スプートニク1号」の打ち上げに成功し、それまでの人類の活動領域に対して全く新しい空間を加えたことを世界に知らしめたことが大きく影響していた。余談になるが宇宙は大高正人の海洋空間利用の考え方にも影響を与えており、ジョン・Ｆ・ケネディが海洋と宇宙の開発を両輪として取り組むと宣言したことの意味がほのかに伝わってくる気がする。

　菊竹は、陸地にしがみつき生活するしか術のなかった人類に、産業革命は陸からの解放を可能にしたとして、陸上都市を混乱から救うための方策として機能更新に優れた浮体式の海上都市を提案していた。併せて、陸地の拡張として海岸線で繰り広げられてきた埋め立て造成を強く批判しながら、海岸線周辺を含めた沿岸海域の自然環境を保護保全することを主張していた。この考え方は海上都市構想の概念にも盛り込ま

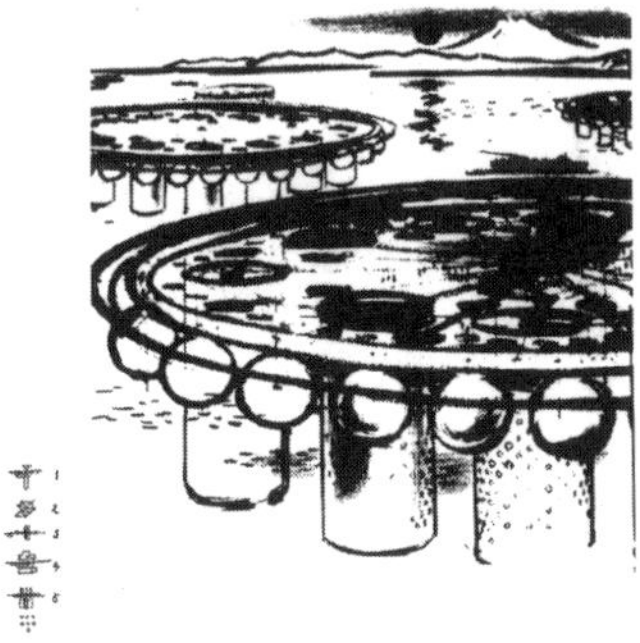

6-18　**海上都市構想**　菊竹清訓により、1959年「海上都市1958」に次いで1960年「海上都市1960（海洋都市うなばら）」には浮体式の海上都市が輩出される（出典：『菊竹清訓　構想と計画』美術出版社、1978・12）

れ、「東京湾計画１９６１」の前年60年に発表された駿河湾に設定された浮体式の生産都市「海上都市１９６０（海洋都市うなばら）」にも盛り込まれた。

建築家としての菊竹は生活空間のあり方を考える立場から、海岸線や沿岸海域が産業による侵攻（進行）と占有化されることに反対の立場をとっており、陸地の拡張としての埋め立て造成は自然環境の破壊をもたらすとして強く批判していた。そして、機能更新を容易にすることと、陸域におけるさらなる都市化や環境破壊および公害の拡散を防ぐためには、産業空間の海上移設が必要であることを提言していた。

ここで「東京湾計画１９６１」の計画を見ると、東京湾の北東・南西間に2本、北西・南東間に3本の道路がそれぞれ直交するように陸域部から延伸され、これら道路で形成される湾中央部の2つの格子の中に産業装置をそれぞれ浮体式により第1・第2東京湾工業地帯として配する計画で、東京湾に面する全ての地域からアクセスが可能になっており、東京湾一帯で進む埋め立て造成による産業空間を湾央の浮体式工業地帯に吸い上げるような形状がとられた。

「東京湾計画１９６１」は、菊竹自身が「東京というより、東京をふくめた、東京湾にたいする提案」と述べているように、加納や大高や丹下らが首都を見据えた構想を提案したのに対して、東京湾全域を見渡してつくり上げた構想であった。この点が、東京築港構想の流れを汲んだ加納構想を基礎としているか、していないかの大きな違いがある。

東京湾のあるべき姿を考えた3人の建築家

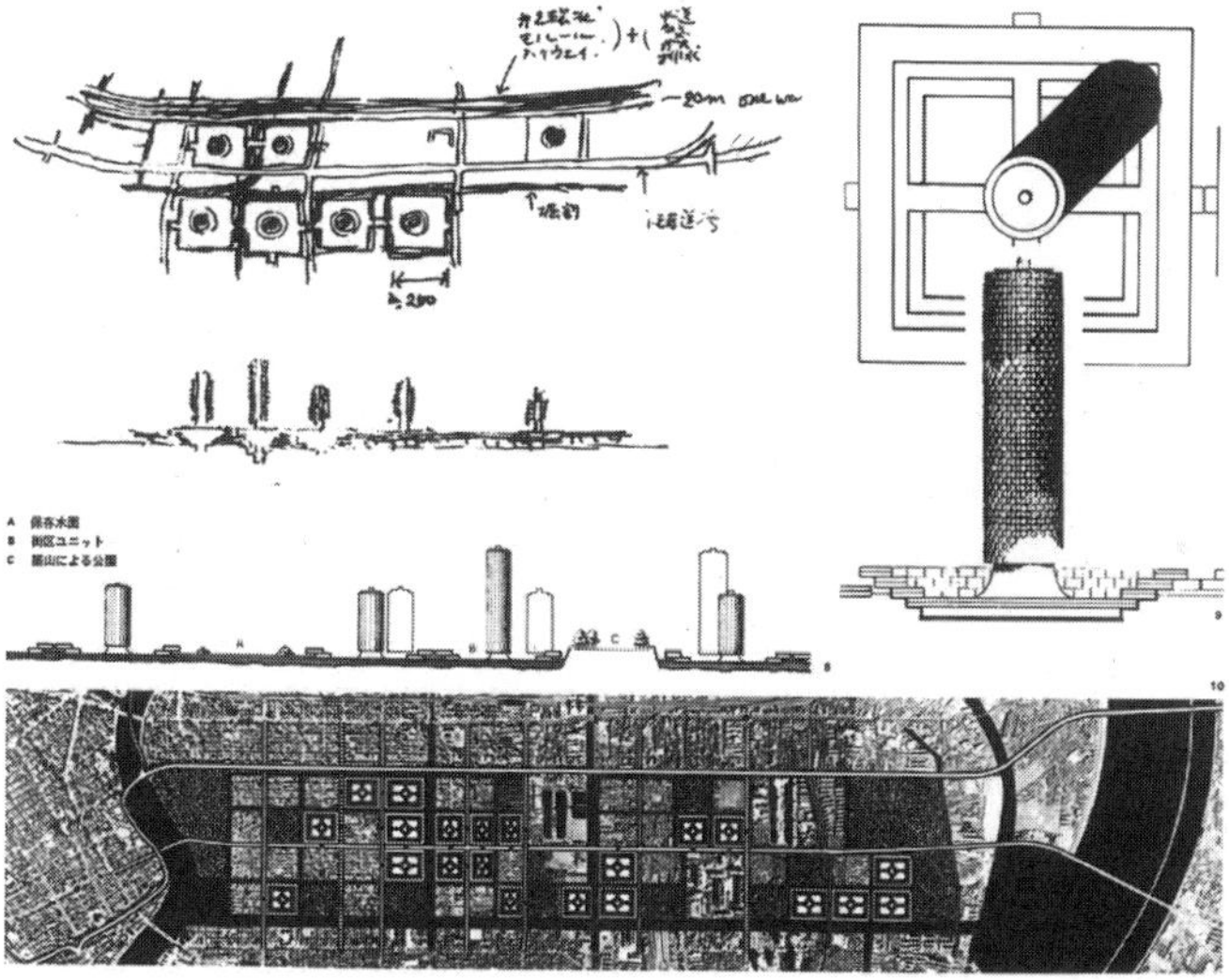

6-19 江東計画 「東京湾計画1961」の原点として提案された構想。菊竹は東京湾の埋め立て開発に対して強い懸念や批判意識をもっており、それに対する代替案（出典：菊竹清訓編『菊竹清訓 構想と計画』美術出版社、1978.12）

１９５９年以来の５年間に、東京湾を計画対象とした海上都市構想が近代日本を代表する建築家としての大高正人、丹下健三、菊竹清訓の３名によって提案された。

大高正人は、加納構想を肯定的に評価して、それを建築的な視点からリメイクして「海上帯状都市」の提案に至り、加納構想の築港の理念を採り入れて革新的かつ能率的な産業都市の構築を志向し、港湾を都市の軸とした産業首都の構築を提案した。大高は、一旦埋め立てながらも建物を建設する場合には、地盤面まで杭基礎を打ち込まなければならない埋立地での建設活動の非合理面を克服し、かつ都市生活に海洋レクリエーション活動の場所や海浜の公園などの親水性を享受できるようにするためには、埋め立ては最小限度にとどめ、直接建物の基礎を海中に伸ばすことで、杭上に生活空間を構築することを提案した。

丹下健三は、加納構想については発表される前からその全容を知り得ており、その考え方に強い衝撃を受けていた。後に丹下は、加納構想に盛り込まれていた海洋空間に都市を新しく構築するという考え方を高く評価し、この考え方を自身の東京改造構想に取り入れていった。丹下ら「東京計画１９６０」の検討チームは、１０００万人都市時代の東京の新しい都市構造を求めて、求心的な都市構造を廃し、線型の都市構造に移行すべきであるとして、「都市軸」の概念の導入を提唱し、この都市軸の展開の場として陸上ほどに権利関係がない東京湾を選択した。しかしながら、「東京計画1960」は加納構想から影響を受けつつも、加納構想の核心であった築港の理念を削ぎ落としていた。そのうえ、丹下は東京湾の海洋空間を単に産業空間とするのではなく都市生活者の手に取り戻そうと考えていた。丹下の関心はあくまでも東京に自らの理想とする都市構造としての都市軸をいかに構築していくかに向いており、港湾に対する関心は薄かった。また、産業の高度化により発生する1000万都市では、もはや工業生産は主要な要素ではなく、副次的な存在であるとみなしていたことから「東京計画1960」においては、直接的には港湾や工業空間のあり方については触れていなかった。

菊竹清訓が発表した「東京湾計画1961」は、着想の背景が東京の地盤沈下問題の対応策として提示された「江東計画」(6-19)にあり、同計画の東京湾への発展型として提案されたものであった。これ以前に菊竹はすでに1958年頃から人工土地の海上展開を検討しており、59年「海上都市1958」、60年「海上都市1960(海洋都市うなばら)」には、浮体式の海上都市を発表していた。この2つの提案と「東京湾計画1961」との大きな違いは、計画地を明確に規定している否かにあった。「海上都市1958」も「海上都市1960」も浮体式構造を採用して設置水面の移動を念頭においたものであったが(「海上都市1960」は駿河湾を対象地としているが、菊竹は将来的な移動を示唆している)、「東京湾計画1961」では、明確に東京湾を計画対象地としていた。このことは菊竹が東京湾の湾岸部で行われていた開発に対して強い懸念や批判意識をもっていたものと指摘できる。菊竹が海洋都市構想を提案した背景には、埋め立てによる沿岸海域の環境破壊や海岸線の産業による占有化に対する批判があり、また、これ以上産業による環境破壊や公害が陸上の都市や住民生活に被害を与えるべきではないとして、浮体式の人工土地により産業空間を洋上に送り出そうとしたものであった。菊竹の構想は、東京築港構想に直接の関連はないにせよ、東京築港を含めた海岸線への産業の侵攻に対する抵抗と対案提示活動であったとみることもできる。[9][10]

おわりに

浮かぶ建築の追求

海は利用に伴うリスクを負う場所であるが反面、快適性や利便性も備えているため海や河川の陸域近傍の水面は利用集積度の高い場所として認識され、これまでは陸域の延長として埋め立てによる利用が多々なされてきた。しかしながら、地球温暖化による気候変動の影響による降水量増加や水位上昇が起きることで、沿岸低地では津波や高潮、洪水による冠水、浸水の被害が多発する状況となってきている。こうした状況に対する対応策として伝統的構法の再認識や高床形式の見直しはもちろんのこと「浮かぶ」「浮かす」浮体式構法を用いて、被害を回避する建築的な取り組みが試行されるようになってきた。

気候変動の影響によりサイクロンが多発するようになったバングラディッシュでは、国土がガンジス河とこれに合流するブラマプトラ川・メグナ川によるデルタ地帯に広がっており、洪水氾濫域は国土の8割を占め、1987年、88年、89年には大洪水に見舞われ大きな被害が発生した。そのため、住民生活においては、生活にかかわる行政施設や学校の図書館施設および医療や病院機能の各種施設を古い木造船に搭載することで、洪水による水位上昇に対処している。一方で、野生生物の生育場所としての森林地帯が水没するようにもなり、生息域が次第に狭小狭隘化してくることで、絶滅危惧種で肉食獣のベンガルトラなどが、人間の居住区に入り込むことにより、危害がおよぶ危険度が増し、混乱が起きるなど新たな環境問題にさらされてきている。

気候変動の影響は想定を遥かに超えた脅威となっており、洪水・浸水被害は今日では世界的に拡大している。こうした状況の中で水害被害を防ぐ手立ては、防災よりも

減災により被害を軽減緩和する対策が各国で取られるようになってきた。その中で、建物や施設を「浮かす」ことにより被害を最小化する取り組みは増えてきている。

　アメリカ・フォートワースでは都市内を流下するトリニティ川が洪水を頻発するため、その対策を含めた治水整備に合わせて、中洲に新たな市街地を形成する計画が進められているが、その計画内に浸水をあらかじめ想定することで、ハウスボートを用いた住区の形成が検討されている。もともと、アメリカではサンフランシスコ・サウサリートに見るような「House Boat」が、50年ほど前から18州の水辺において親水性や自然性を求めて水上コミュニティをつくりあげてきていたが、新たな計画において「浮かす」あるいは「浮く」ことの経験が反映されている。

　韓国ソウルでは李《い》明博《みょんばく》前市長が大統領に選出された後、２０１０年当時の市長の政策により首都のシンボル施設として漢江《はんがん》に浮体式では世界最大規模となるコンベンションセンター、展示空間、スポーツ施設からなる「FLOATING ISLAND」がつくられ、その周辺の河川敷公園では、浸水時に浮上する浮体式基礎をもったトイレやコンビニなどの施設が設置されている（7-1）。中国・上海・黄浦江では、上海バンドに沿った河川水域に業務の効率化を図るための各種の公的管理業務機能をもった施設が係留されているが、この施設も黄浦江の2メートルを超える潮汐作用に対応することでの浮体式構造物になっている（7-2）。

　一方、Googleでは「Google X」とよばれる10のプロジェクトを展開しており、自動運転車やソーラープレーンなどの研究とともに海でもプロジェクトが進められ、海の再生可能エネルギーの利用や移動性および陸上設置に伴う各種の制約を解決する方

（前ページ）
7-1　韓国漢江フローティングアイランド　韓国の首都ソウルを流れる漢江には、2010年に誕生したFLOATING ISLANDと河川敷に整備されてきた公衆トイレやコンビニは全て浮函基礎をもち、河川が氾濫したとき、浮上することにより被害を最小化するための減災化が図られている
7-2　上海黄浦江のフローティングオフィス　上海を流れる黄浦江は干満差が2メートルを超えるため、税関や水上警察などの入国管理事務所をもつ機能を浮体式構造物にしている

策として、水面利用を意図した「Google Barge：洋上データセンター」の開発を進めている。西海岸のサンフランシスコと東海岸のポートランドで実験が行われた。

都市的規模をもつスケールのものは、公海上に独立した自治権をもつ浮遊都市を構想するグループが２００８年から「SEASTEADING研究（浮遊都市の計画）」の具体化を目指して、サンフランシスコ湾内で実証実験を進めている。また、ＵＮＥＳＣはニューヨークの沖合に海上都市的な施設を浮かべる計画を進めている。

わが国においても近年、海洋空間利用が再認識されるようになり再び海洋建築物が脚光を浴びてきている。１９９０年代に瀬戸内海の水上に建設された境ガ浜フローティングアイランドは長らく閉鎖されてきたが、２０１６年に改修が進められ、水上飛行機の格納庫として再生されたことは前述した。また、地震時の揺れを防ぎ、津波被害を軽減する方策として、水の浮力を利用した免震構造の基礎システム「パーシャルフロート」を清水建設が２００５年に開発した。ほかには東日本大震災後には浮上式避難施設の提案が増えた。現在は浮体式ホテルの建設が長崎や大阪で計画されている。

このように近年の海洋建築物は日常的な範疇における多様な利用が図られるようになる一方で、増加する自然災害への対応策として、建物を「浮かす」という思考が導入されるようになり、立地環境への順応を意図した取り組みが展開されてきている。

海と建築と都市の関係を振り返ると

建築を学びはじめた頃、コルビュジェのロンシャン礼拝堂の写真を見る度にこの建

物の右側の屋根の軒裏の形が船の「ハル（舷側や船殻）」のように見えて仕方がなかった。壁面が白に塗られているため軒裏のグレーとの対比が鮮明に映し出され、滑らかな軒裏の形がはっきりと浮き上がることで舳先を左に向けたハルのように見えてしまい、コルビュジェはハルをイメージして屋根をデザインしたのではないかとさえ思えた。こんな風にロンシャンを見て取る人は果たしているのだろうか。その後、タイのチュラロンコン大学を訪問した折、何かの話のなかで建物の屋根のかたちは船の影響を受けているとタイ人の教授が語っていたが、この話を聞いていたとき、タイの建築様式を思い描くよりもむしろロンシャンの屋根のことがすぐに脳裏に思い浮かんだ。こんな勝手な捉え方や妄想ではなく、インドネシアのタナ・トラジャにあるトンコナン・ハウス（家屋）は、まぎれもなく舟を連想させる大きな屋根の形態を見せている。この家屋は標高1000メートルほどの高地の雑木林の中に立っているが、ここに住むトラジャ族は山岳民族ではなく元来は海洋民族で、その名残りとして舟形住居を立ててきたとされる。このような海や船にまつわる建築形態はほかにも多々あり、様式美として昇華したことなどは前章までに述べてきた通りである。日本にも海人をルーツとする山の中で生活する人々がいた。長野県の安曇野市がその地で、宮本常一によるともともとは九州北部の安曇《あずみ》野《の》連《むらじ》という海人が、移住しながら、次第に漁業から農業へと生活を変えることでたどり着いた場所とされている。

　本書では、海と建築との関係について、先人諸氏たちがこれまでに書き記してきた視点を踏まえながらも、海や舟から受け継いだと思われる建築の態様やわざわざ海の上に建てる建築に焦点をあてるとともに、これをつくり出してきた船大工や材料についても関係性を解き、系譜的に整理してきた。そして、「何のために」海の上に「つくられたのか」、このことについては厳島神社の社殿の建築を取り上げることで明らかにしようと考えた。これまで厳島神社については多々論考がされてきてはいるが、社殿の海上立地について論考されたものは意外なほどに少なく、海との関係性については触れていてもおおむね廻廊の配置や簀子板についてであり、海上につくることについては、必ずしも明確な見解は述べられてきていないことがわかった。そこで、触れられてこなかった海と建築との関係、すなわち社殿の立地場所の決定や廻廊の床高と海面高との関係性および潮汐作用との関係について、史料に示された記述を基にしながら海象条件の特性などを踏まえながら、御笠浜湾内の社殿立地の場所の推定を試みてみた。また、厳島神社については、平清盛は社殿と鳥居を「聖なる軸線」により結ぶことで、海上であるが故に、存在するハズのない境内空間を海面上に生み出したこの軸線の効果を、丹下健三は広島平和記念公園の計画に際して引用していることを鈴木博之は説いていた。しかしながら、軸線の引用はそれだけではなく、丹下は厳島神社の社格をあげるために清盛が建立した外宮や奥宮と内宮としての厳島神社が構成する外宮・内宮・奥宮の社殿の配置が実は1本の軸線で結ばれていることに気がつき、その軸性に基づく建物配置を記念公園の各施設配置に引用していたと思われ、この軸性の存在を再発見することができたと思う。さらに、今回、瀬戸内海沿岸各地域を訪問した際に偶然、岡山県の児島湾では吉井川河口東側に位置する水門湾に流下する千町川河口部にある小さな海浜に神社が建立されているのを見つけた。それが亀石神社であった。これまで海の上の神社といえば厳島神社が唯一の神社だと考えていたが、類似の海の上に立つ神社を見つけ出すことができた。

本書は先人たちがそれぞれの思いや疑問、仮説の実証に挑み明らかにしてきた調査や研究の成果を参考にしつつ、新たな事実を見出しながら「海の建築」にまつわる事実を精査し、一本の糸に束ねることに傾注してきた。その中で本文中に名前を挙げさせていただいた先生方に深謝するとともに、特に故加藤渉、故地井昭夫の両先生方には生前に何度もお話を伺うことができ、先生方の深い思いをお聞きすることで、今回多少は文字にすることができたものと思う。

厳島神社については伊澤岬、高木幹雄の両先生が試みられてきたことについて伺い、さらに学会などで教えを受け感謝に堪えない。海の建築は陸の建築とは異なり、気が付いたときにはすでに姿かたちが消えていることも間々ある。そのため、多くの先生方が長い時間をかけて明らかにしてきた事実は非常に貴重であり、その成果を礎とすることで「海の建築」の要所を言及できたものと思う。ここに深く感謝を表したい。

本書をまとめるにあたり、研究室ＯＢの舟岡徳朗君（在シンガポール）、水場信人君（在女川）、安藤亮君（在東京）からは赴任先から写真や図面などの提供をいただき、加藤千尋君（在東京）には多くの貴重な資料の収集や整理で手を煩わせることになり感謝に耐えない。また、編集作業ではコロナ禍のなか、水曜社編集部の松村理美さんおよび社長の仙道弘生氏には多大なご苦労をおかけしたことを深く感謝申し上げる。

参考文献一覧

はじめに

1・海洋建築研究会編『海洋空間を拓く　メガフロートから海上都市へ』成山堂書店　2017・3
2・山口佳巳「仁治度厳島神社の社殿」『広島大学総合博物館研究報告』広島大学総合博物館　2009・12など多数
3・豊田利久「文化遺産観光地・宮島と自然災害—経済的側面を中心に」『京都歴史災害研究』第12号　2011・3
松井輝昭「厳島神社の海上社殿と龍神信仰—新たな聖地のイデアをめぐって」『中世文学』第56巻　2011
4・松井輝昭・県立広島大学「中世厳島神社における神仏習合観の変容」科学研究費補助金研究成果報告書　2013・5
5・加藤渉「海洋建築の現状とその展望」『建築雑誌』1973・9
6・畔柳昭雄・菅原遼「近世から現代に見られる〝牡蠣船〟の機能的形態変化に関する調査研究」『沿岸域学会誌』Vol.29 No.1　2016・6
7・畔柳昭雄『海水浴と日本人』中央公論新社　2010・7
8・畔柳昭雄・渡辺富雄編著『PROCESS Architecture 96 海洋建築の構図』プロセスアーキテクチュア　1991・6
9・日本経済新聞 朝刊「ハウステンボス　水に浮くホテル」2018・6
10・坂本正義『ビッグプロジェクト—システム時代の成長戦略』ダイヤモンド社　1969・7
11・畔柳昭雄編著、市川尚紀・舟岡徳朗共著『消えゆくアジアの水上居住文化』鹿島出版会　2018・8
12・畔柳昭雄「水上住居と居住形態」『建築雑誌』1979・2
13・菊竹清訓『建築のこころ』井上書院　1973・2

第1章

1・中村茂樹・畔柳昭雄・石田卓矢『アジアの水辺空間—くらし・集落・住居・文化』鹿島出版会　1999・11
2・川添登『列島文明—海と森の生活誌』平凡社　1994・8
3・畔柳昭雄「大洋州島嶼国の住民生活と居住空間の変容に関する調査研究　その1　キリバス共和国タラワ環礁を対象として」『日本建築学会計画系論文集』第76巻第663号　2011・5
4・前掲『アジアの水辺空間—くらし・集落・住居・文化』
5・土橋大輔「米国における水上住居の現状と法規制に関する調査研究　その1　カリフォルニア州マリン群を対象として」平成29年度（第61回）日本大学理工学部学術講演会　2017・12
6・金柄徹『家船の民族誌—現代日本に生きる海の民』東京大学出版会　2003・7
7・法政大学大学院エコ地域デザイン研究所歴史プロジェクト　高橋亨+黒木俊彦+高村研究室編集『東京の水上生活

者と水と共存する建築』法政大学大学院エコ地域デザイン研究所歴史プロジェクト高橋亨・黒木俊彦・高村研究室　2005・4
8・宮本常一『日本文化の形成』講談社学術文庫　2005・7
9・地井昭夫『漁師はなぜ、海を向いて住むのか？―漁村・集住・海廊』工作舎　2012・6
10・前掲『消えゆくアジアの水上居住文化』
11・前掲『アジアの水辺空間―くらし・集落・住居・文化』
12・前掲『近世から現代に見られる〝牡蠣船〟の機能的形態変化に関する調査研究』

第2章

1・「セネガル共和国の水産振興に関する調査報告書」財団法人海外漁業協力財団　1987・5
2・大阪国際フォラム　海洋性木造文化の継承・発達と太径長大材の生産供給システムの持続　第36回公開フォラム木造建築研究フォラム　1999・10
3・宮本常一・川添登編『日本の海洋民』未来社　1975・7
4・前掲『海と森の生活誌』
5・前掲『日本の海洋民』
6・赤石憲祐・藤澤彰・奥崎智道：近世佐渡における藤井家の建築活動と大工集団について　日本建築学会技術報告集　第18巻　第38号　2012・2
7・前掲『海と森の生活誌』
8・金行信輔・倉方俊輔・清水重敦・山崎幹泰・中谷礼仁『「造家」から「建築」へ―学会命名・改名の顛末から〈特集〉建築改名／100年）」『建築雑誌』1410号　1997・8
9・倉方俊輔「特集1生き続ける建築2伊東忠太」『INAX REPORT』No.168　2006・8
10・髙橋和志「陸に上がった造船技術で独創的な建築に挑む」『Future SIGHT』48号　フィデア情報総研　2010
11・髙橋和志『造船技術と建築の融合』株式会社髙橋工業　2004・10
12・ウルス・ビュッティカー著／富岡義人・熊谷逸子共訳『ルイス・カーン―光と空間』鹿島出版会　1996・9
13・Yo―YO Ma："Save Louis Kahn's Concert Boat!" *The New York Review*　2017・8
14・Washington" D.C., "should have the Louis Kahn performing barge" *The Washington Post*　2017・8
15・滝本久雄・高羽登「フェロセメント」『コンクリート工学』Vol.16　No.2　1978・2
16・硴崎貞雄　ふね遺産応募申請「コンクリート船防波堤」添付資料「コンクリート船武智丸について」2016・12

17・木村智・田路貴浩「ピエール・ルイジ・ネルヴィのフェロセメント建築について」平成25年度日本建築学会近畿支部研究発表会　２０１３・５
18・硴崎貞雄・新開明二「コンクリート貨物船武智丸」『日本船舶海洋工学会講演論文集』第26号　２０１８・５
19・馬場知己『関東軍経理部の実施した鉄筋コンクリート造船工事について』非売品　１９８０・10
20・関東軍少年建築隊史刊行委員会『関東軍少年建築隊』非売品　１９９１・７
21・近江栄・宇野英隆編『建築への誘い―先駆者10人の歩んだ道』朝倉書店　１９８２・12
22・加藤渉先生古稀記念出版会『渉』日本大学理工学部　加藤研究室１９８５・８
23・古賀順子『セーヌ川に浮かぶル・コルビュジェ船「ルイーズ・カトリーヌ号」』Bestpia パリ通信54号　２０１６・６
24・ミシェル・カンタル・デュパール著／古賀順子訳／遠藤秀平監修『ル・コルビュジエの浮かぶ建築―難民避難船への再生に導いた女性たちとその物語』鹿島出版会　２０１８・１

第３章

1・巨石巡礼　亀石神社
2・広島県廿日市市環境産業部観光課ホームページ
3・三浦正幸『平清盛と宮島』瀬戸内文庫Ⅱ　南々社　２０１１・12
4・岡本茂男撮影／鈴木充解説／清水好子エッセイ『厳島神社』（日本名建築写真選集８）新潮社　１９９２・８
5・日下力監修『図説平清盛がよくわかる―厳島神社と平家納経』青春出版社　２０１２・１
6・川本博之「日本的空間における軸線に関する研究―厳島神社に関する考察その１―」『日本建築学会大会学術講演梗概集』１９７７・10
7・川本博之「日本的空間における軸線に関する研究―厳島神社に関する考察その２」『日本建築学会中国支部研究報告集』第7巻2号　１９８０・３
8・伊澤岬『海洋空間のデザイン―ウォーターフロントからオーシャンスペースへ』彰国社　１９９０・５
9・山口佳巳「仁治度厳島神社の社殿」『広島大学総合博物館研究報告』２００９・12
10・高木幹雄「厳島神社における波浪制御の技」日本建築学会広島大会　研究協議会　厳島神社にみる海洋建築の技と匠　２００８・９
11・鈴木博之『日本の地霊（ゲニウス・ロキ）』角川ソフィア文庫　２０１７・３
12・福岡伸一「芸術と科学のあいだ（８）建物と生物、中心軸を考える」『日本経済新聞』朝刊　２０１４・４
13・「今昔まち話　和賀江島　引き潮に浮かぶ武家の夢跡」『日本経済新聞』朝刊　２０１９・８

第4章
1・前掲『ビッグプロジェクト』、PP 24
2・「東京灯標」『建築文化』9月号 彰国社 1969・9
3・東京灯標役割終了 海上保安庁 第三管区海上保安本部 2010・9
4・畔柳昭雄・山本慶「海洋建築物の建設経緯と海との関係性に関する調査研究」『日本建築学会計画系論文集』第74巻
第644号 2009・10
5・宮川駿也・畔柳昭雄・菅原遼：海洋建築物の経年的な適応と海域利用に関する調査研究
日本建築学会計画系論文集 第82巻第741号 2017・11
6・前掲「海洋建築物の建設経緯と海との関係性に関する調査研究」
7・前掲「海洋建築物の建設経緯と海との関係性に関する調査研究」
8・前田尚『海の横丁ペリー号ものがたり』1976・2
9・前掲「海洋建築物の経年的な適応と海域利用に関する調査研究」
10・前掲『海洋建築の構図』
11・カメラルポルタージュ『組立式多角形浮体構造物「H.M.S.」ウォーターフロント開発の目玉として』東京福島出張所
12・畔柳昭雄「実在する歴史的建造物としての海洋建築物に関する研究 回天発射基地の建設経緯」『日本沿岸域学会研究討論会2009講演概要集』No.22 2009・7
13・前掲『海水浴と日本人』

第5章
1・藤森照信『建築探偵 東奔西走』朝日文庫 1996・12
2・「近代の原点・起点探訪 日本の発展支えたシンボル」『日本経済新聞』2018・1
3・箱岩英一「河川・水路・港湾の基準面について」『国土地理院時報』No.99 2002
4・測量地図百年史編集委員会編『測量・地図百年史』日本測量協会 1970
5・畔柳昭雄＋親水まちづくり研究会編『東京ベイサイドアーキテクチュアガイドブック―都市臨海部の建築と水辺がおりなす彩を探る』共立出版 2002・6

第6章

1・植松三十里『帝国ホテル建築物語』ＰＨＰ研究所　２０１９・４
2・『大都市地域における新居住空間の必要性と可能性に関する調査研究（2）人工浮地盤』（昭和52年度地域開発計画基礎調査国土庁委託調査）菊竹清訓建築設計事務所　１９７８・３
3・高崎哲郎『国際人（コスモポリタン）加納久朗の生涯』鹿島出版会　２０１４・４
4・梶秀樹・川瀬光一・星野芳久・山田学『現代都市計画用語録』彰国社　１９７８・12
5・大高正人・奥村珪一「東京湾上都市の提案」『建築文化』No.148 彰国社　１９５９・2
6・藤森照信・丹下健三『丹下健三』新建築社　２００２・11
7・丹下健三研究室編『東京計画１９６０―その構造改革の提案』丹下健三研究室　１９６１・3
8・「特集アーバンデザインの系譜」『新建築』第46巻8号　新建築社　１９７１・8
9・菊竹清訓『菊竹清訓―構想と計画』美術出版社　１９７８・12
10・国際建築協会「特集 海上都市の提案」『国際建築』第26巻2号　美術出版社　１９５９・2

索引

〈人名〉

〈事項〉

畔柳 昭雄（くろやなぎ・あきお）

1952年三重県生まれ。日本大学理工学部建築学科卒業、同大学院理工学研究科建築学専攻博士課程修了。工学博士。現在、日本大学理工学部海洋建築工学科特任教授。著書に『アジアの水辺空間』（共著、鹿島出版会、1999、日本沿岸域学会出版文化賞）、『海水浴と日本人』（中央公論新社、2010）等がある。作品に「マダガスカル民主共和国アンダシベ村ペリネ保護区ビジターセンター」（1993年日本トイレ協会グッドトイレ10特別賞）、「アルミ海の家Ⅰ・Ⅱ・Ⅲ」（2006年イタリア・アルミ構造物国際賞）、「組木茶室一瞬亭」（2015年東京デザイナーズウィークAsia Award 企業賞）などがある。

海の建築

——なぜつくる？ どうつくられてきたか

発行日　2021年12月10日　初版第一刷発行
　　　　2022年2月5日　初版第二刷発行

著　者　畔柳 昭雄
発行人　仙道 弘生
発行所　株式会社 水曜社
　　　　〒160-0022 東京都新宿区新宿 1-26-6
　　　　TEL.03-3351-8768　FAX.03-5362-7279
　　　　URL suiyosha.hondana.jp
装幀・DTP　小田 純子
印　刷　モリモト印刷株式会社

ISBN 978-4-88065-518-5　C0052